Travaux manuels

Suivi éditorial : Myriam Caron Belzile
Conception graphique : Nathalie Caron
Révision linguistique : Martin Duclos et Chantale Landry
Mise en pages : Andréa Joseph [pagexpress@videotron.ca]
En couverture : Photomontage réalisé par Anouk Noël
        à partir de l'œuvre de shutterstock / Ingvar Bjork

Québec Amérique
329, rue de la Commune Ouest, 3e étage
Montréal (Québec) H2Y 2E1
Téléphone : 514 499-3000, télécopieur : 514 499-3010

Nous reconnaissons l'aide financière du gouvernement du Canada par
l'entremise du Fonds du livre du Canada pour nos activités d'édition.

Nous remercions le Conseil des arts du Canada de son soutien. L'an
dernier, le Conseil a investi 157 millions de dollars pour mettre de l'art
dans la vie des Canadiennes et des Canadiens de tout le pays.

Nous tenons également à remercier la SODEC pour son appui finan-
cier. Gouvernement du Québec – Programme de crédit d'impôt pour
l'édition de livres – Gestion SODEC.

**Catalogage avant publication de Bibliothèque et Archives nationales
du Québec et Bibliothèque et Archives Canada**

Vedette principale au titre :
Travaux manuels : recueil de nouvelles érotiques
ISBN 978-2-7644-3056-9 (Version imprimée)
ISBN 978-2-7644-3057-6 (PDF)
ISBN 978-2-7644-3058-3 (ePub)

1. Histoires érotiques québécoises. I. Dompierre, Stéphane.
PS8323.E75T72 2016   C843'.01083538   C2015-942263-9
PS9323.E75T72 2016

Dépôt légal, Bibliothèque et Archives nationales du Québec, 2016
Dépôt légal, Bibliothèque et Archives du Canada, 2016

Imprimé au Québec

Travaux manuels

**recueil de nouvelles érotiques
sous la direction de Stéphane Dompierre**

QuébecAmérique

Michel-Olivier Gasse

On essuiera ou on l'oubliera

On se faisait des misères pour une histoire de chemin à prendre. Comme si ça avait été la pire décision de ma vie de passer par la ville alors que tu savais comme moi que ce serait le bordel à Anjou. Le pont, le tunnel, c'était une mort annoncée d'un bord ou de l'autre en fin de journée, on sortirait pas d'ici sans dommages et puis on partait déjà amochés, après une bonne heure de chicane à mots couverts. J'attendais le moment où tu me donnerais raison un minimum que le problème, au fond, c'était pas tant la route empruntée que l'heure réelle du départ. Et que moi, oui, j'étais prêt à temps. Le stock était dans le char depuis midi, je fumais des clopes, j'attendais que tu finisses de faire je sais pas quoi. J'ai balayé tout l'asphalte de la cour.

— T'arrives-tu, coudonc ?

— Mes cheveux sont pas secs, là, ça sera pas long.

— Y sécheront dans le char, merde !

— Ça marche pas de même !

Quand t'es finalement sortie, je balayais la ruelle chez le deuxième voisin. T'as dit qu'il y avait

« deux-trois p'tites commissions avant de partir ». T'as même eu l'audace d'ajouter qu'on était pressés.

— Ben là, j'aurais pu faire ça, moi, au lieu de passer le balai, crisse !

— Non, c'est pour des produits, t'aurais rien compris, t'as répondu avec ton air qui me traite d'innocent.

Je me suis mordu le dedans des joues. On est allés virailler où tu voulais, je t'ai attendue dans le char toutes les fois. Plus ça retardait, notre affaire, plus on s'enlignait direct dans un trou noir. Tu sais, là, le monde de qui on rit parce qu'ils sont *steady* pognés dans le trafic, parce que c'est ça, leur vie ? Ben là, c'était nous autres, par un superbe vendredi d'été en fin d'après-midi. Je disais pas un mot parce que je sais que ça te fait chier. De ton côté, tu me le rendais en te foutant la face dans ton maudit iPhone au lieu de regarder dehors, comme ils faisaient en 1982, en 1971, comme ils font dans les films quand y ont plus rien à se dire. J'ai ouvert les fenêtres en sachant que tu passerais une remarque.

— C'est quoi, le rapport ? On est pognés au beau fixe entre deux camions.

— J'aime mieux respirer de l'exhaust que l'air de marde qui traîne dans le char.

On avait plus de cinq heures de route devant nous et ça devait faire vingt minutes que j'attendais de shifter en troisième. À la radio, Patrick Masbourian nous quittait en nous souhaitant un bon week-end, il était trop de bonne humeur pour avoir une place dans la Corolla. Tu l'as fait taire en tapant le bouton de volume. Au moins, on s'entendait là-dessus.

Il faisait chaud, c'était pas endurable. L'asphalte donnait l'impression de partir en fumée devant nos yeux. On allait le mériter, notre Bas-du-Fleuve. Comme je te connais, tu devais non seulement te féliciter d'être vêtue aussi léger mais aussi t'en vouloir d'être sexy de même alors qu'on se faisait la gueule. Je savais que tu mettais toujours cette robe courte avec ton string noir pour seul dessous, que t'appréciais particulièrement le satiné sur tes petits seins qui pointent tout le temps, l'air frais qui rentre de partout. Je savais aussi qu'effleurer le sujet t'amènerait à dire que c'était la chaleur et non l'envie de plaire qui avait justifié ton choix vestimentaire. La température commençait à te donner cette odeur de sexe qui traîne souvent au creux de ton cou. Ça se rendait à moi malgré les vitres ouvertes, malgré les trucks, malgré toi. Pour camoufler ton décolleté et tes mamelons toujours un peu sur les hautes, t'as eu le culot de sortir un châle en soie de ton sac. Je voulais t'étrangler avec. Puis j'ai pensé à ma queue dans ta bouche en même temps et c'est devenu intéressant. On était en train de s'haïr. On savait s'y prendre, mais dans ma tête, le beat commençait à changer. Par orgueil, j'ai enlevé ma casquette pour me ventiler avec, puis je l'ai déposée sur mes cuisses afin de cacher la semi qui se pointait. Tu faisais trop chier pour que je te donne crédit.

— C'tu la grosse famille à soir, là, ou juste tes parents?

T'as levé les yeux de ton cell en soupirant, sans me regarder pour autant.

— Je l'sais-tu... C'est genre mes parents pis ma tante pis ma cousine qu'est revenue de voyage. Pis ferme les fenêtres qu'on crisse la clim. Sérieux, man, chus écœurée d'être dans le char, pis on est pas sortis de la ville encore.

La semi a flanché d'un quart à l'évocation de ta cousine. J'ai remonté les fenêtres et t'as appuyé sur A/C. J'ai rouvert une brèche de mon bord, t'as pris ça comme un affront. Je te pissais off ben raide.

— Tant qu'à être sur ton cell, en tout cas, avertis-les donc qu'on sera *jamais* là pour souper.

T'as rien répondu. J'ai remis ma casquette, y avait plus rien à camoufler.

×××

À Drummondville, t'avais rangé le châle mais pas ton cell. Tu jasais depuis un bout avec ta mère, comme si c'était pas elle qu'on s'en allait voir. Ça me gossait de t'entendre parler comme si tout était beau, avec c'te belle candeur du *small talk* mère-fille. Je me suis allumé une cigarette et tu t'es enfoncée dans le coin de la ceinture de sécurité, comme si la réception était meilleure par-là. J'ai coupé un char sans flasher pour prendre la sortie.

— J'vas m'pogner un café au Tim, j'ai dit d'un air bête. Veux-tu de quoi ?

Avec ta face qui juge mon choix de *pit stop*, t'as dit que non, tu voulais rien, pis t'es retournée à ta mère. Vous aviez déjà passé toutes vos nouvelles et vous seriez plus capables de vous endurer dans deux jours. Classique. Quand j'attendais en file, tu m'as texté que tu prendrais un petit cappuccino glacé, finalement, en sachant très bien que tu le finirais jamais. Je t'ai commandé un moka trop sucré avec de la crème fouettée et je suis allé pisser.

— C'pas ça que je t'ai demandé, t'as dit en prenant ton verre.

— Ah bon.

On avait que des reproches à se faire, mais y avait rien qui sortait. L'air était lourd. On n'a pas reparlé pour la peine avant d'avoir dépassé le gros husky en papier mâché, un peu avant Québec.

— Tant qu'à pas parler, j'ai dit, me semble que tu pourrais te branler.

— Han ? Mais... pour qui tu te prends, cou-donc ?

— Je me prends pour le gars qui te fourre depuis cinq ans pis qui aime mieux te voir toute nue qu'en tabarnak. Enwèye, crosse-toi donc qu'on change d'air.

— Tu penses vraiment que tu le mérites ? J'vas me crosser quand ça va me tenter, mon gars !

— Baisse ton dossier.

— Va chier !

J'ai eu envie de sacrer les brakes, en plein sur la 20. J'ai eu envie de virer sec à gauche et de prendre le dalot, mais à la place, j'ai été strict. Cinq mots, pour autant de coups de klaxon. Baisse. Ton. Crisse. De. Siège. Pour être franc, j'ai été surpris que tu collabores. C'est vrai que je pogne pas les nerfs souvent. Que je ris pas souvent non plus. Tu devais être contente que j'aie une réaction vive.

Avec le dossier baissé, je perdais le haut de ton corps mais tu venais de poser tes petits pieds sur le tableau de bord. J'avais jamais été un gars de pieds, mais un soir, tu me les avais foutus dans la face en pleine baise qui s'essoufflait. Ça m'avait relancé, comme Pacioretty après Chara. Je leur voue une affection particulière depuis ce temps-là.

— Frotte-les ensemble. Doucement.

Les pieds des filles ont la vie dure en été, deviennent noircis, calleux, toujours un *plaster* quelque part à cause des sandales pas cassées portées dans la douleur ou des souliers en toile qui sentent la poche de hockey. Mais à voir le rouge encore neuf sur tes orteils, je me suis dit que tu devais t'être fait une job la veille.

Tes doigts ont caressé un temps la jonction de tes cuisses encore collées. Ils remontaient bien un peu à l'occasion, mais ça restait timide, sans passion. Tu semblais faire ça pour la forme, un branlage à sec, que j'te sacre patience. Après une quinzaine de minutes, peut-être à cause de la canicule, t'as enfin écarté les jambes. Pour voir, t'as glissé un doigt sous l'élastique et constaté que ton cul voulait plus que ta tête. J'ai risqué une approche vers ta cuisse, mais tu m'as repoussé aussitôt.

— Tu gardes les mains su' l'volant pis tu regardes en avant.

T'as repris tes aises alors que je dépassais un camion. Ta main droite est remontée patiner un peu sur la ligne de sueur qui naissait entre tes seins. Ta gauche recouvrait ta culotte, se contentait d'y exercer une pression. J'ai réduit la vitesse, le temps que le *trucker* se rince l'œil, puis je suis remonté à 130 alors qu'on l'entendait rouler sur la bande rugueuse.

Il faisait chaud. T'entrais dans ton corps et moi dans mes angles morts.

×××

Un coup passé Lévis, je suis allé rejoindre la 132 pour t'offrir un meilleur décor. Je gardais une bonne distance derrière la voiture qui nous précédait. Les dépassements étaient rares, et ceux qui nous croisaient, grand bien leur fasse s'ils pouvaient voir.

J'ai bien triché un peu, mais en gros, je te regardais pas. Je me concentrais sur tes soupirs et tes mouvements et sur le chemin, évidemment. Mais plus ça allait, plus mon attention tombait sur le *cruise,* le strict minimum pour pas prendre le champ. Je bandais croche dans mes jeans. Je me la suis replacée, question de grandir en paix, mais t'étais alerte.

— Uh uh, su' l'volant, les mains.

On a eu envie de se sourire, mais on n'en était pas encore là. Tu tournais autour du pot, tu te laissais mouiller, me laissais languir. C'est là que t'as gémi pour la première fois, quand t'as constaté que t'avais bel et bien traversé le tissu. Tu l'as imprégné au possible, et quand t'en as eu sur le doigt pour de bon, tu t'es arrêtée pour le regarder avant de me le mettre dans la bouche. Tu l'as déposé au milieu de ma langue, puis tu l'as fait glisser lentement derrière ma lèvre inférieure, que t'as volontairement accrochée avec ton ongle. Puis t'es retournée à ton entrejambe avec plus d'ardeur, tu t'es mise à te branler pour la peine, toujours par-dessus ta culotte.

À Montmagny, tu t'es calmée. La 132 devenait le boulevard Taché, il y avait les doubles voies, quelques piétons, un semblant d'achalandage. Le soleil nous descendait dans le dos et prenait les rétroviseurs d'assaut. Sur une rouge, on a pris le temps de se regarder comme il faut, on commençait à se retrouver. T'étais un peu haletante, la bouche entrouverte, et tes grands yeux noirs allaient vers ma queue aux trois secondes.

— Faut qu'on se trouve un spot en sortant de la ville, t'as dit en replaçant ta robe un minimum.

— Pas question. On est assez en retard de même.

— Astie que t'es con ! *Come on*, tu fais chier !

— Perds pas le focus, *babe*.

— Mon focus, *baaabe*, c'est ta queue dans mon vagin au plus câlisse. C'pas compliqué ? Ça va prendre deux asties de minutes !

— Justement, j'ai dit en recommençant à rouler. Pourquoi régler ça en deux minutes quand il reste encore deux heures à faire ?

T'as remis une main entre tes jambes en grognant. La roulotte devant nous prenait son temps, si bien qu'elle a occupé toute la jaune aux lumières suivantes. Encore arrêtés, il y avait des voitures à gauche, à droite, derrière, et deux adolescents qui traversaient devant. C'est le moment que t'as choisi pour soulever les fesses et retirer ta culotte, avec une discrétion modérée, mais le monde autour était engourdi. Je te goûtais encore quand t'as rebaissé ton dossier pour entreprendre l'insertion de ton string là où c'était mouillé. Ç'a semblé attirer l'attention du gars dans le Dodge Ram à notre droite. J'ai souri, puis j'ai embrayé quand la face lui est tombée.

À la sortie de la ville, t'es revenue à ta position initiale, les pieds sur le *dash*, la robe relevée, le décolleté lâche. Tu te branlais tranquille. J'en étais à me demander si j'aurais pas mieux fait de rester sur la 20, à rouler tout droit, barré à 110, à me laisser dépasser et à me concentrer sur ma blonde qui se faisait jouir. Au lieu de quoi j'en étais à gérer les virages, les lumières et les morons qui avançaient pas. J'ai pensé deux secondes à suivre la prochaine bretelle vers la 20, mais c'est une fois passé Montmagny que la 132 commence à en valoir la peine. On y arrivait, au fleuve. T'as enfin pris ma main et j'ai senti la chaleur de tes cuisses avant de les toucher. Je t'ai pétrie un peu alors que je dépassais sans shifter en quatrième. Le moteur me traitait d'imbécile, mais toi, t'as rien dit. Tu m'as guidé pour me faire entrer. C'était beau, chez vous.

Après un temps, du bout du doigt, j'ai attrapé le tissu pour l'extraire de là, lentement. T'avais relevé ta robe et tu ne ratais pas un centimètre de ce sous-vêtement qui sortait de ton corps. Tu te branlais en même temps, en gérant les frissons sporadiques qui te prenaient. Quand je l'ai eu au complet, je l'ai tenu devant ta face, suspendu au bout de mon doigt mouillé. T'as pris mon poignet, volé le string, et tu l'as enroulé comme un bandage autour de ma main, une réserve de toi en cas de besoin.

— Ta queue, t'as dit en t'insérant deux doigts.

J'en arrivais justement là.

— Tiens le volant.

Tu y as posé tes doigts luisants alors que je détachais la ceinture. J'ai soulevé le bassin pour défaire mes jeans et les baisser à mi-cuisses. Ma queue est sortie au grand jour, droite et fière, alors qu'apparaissait le fleuve. Le soleil peignait la vue en rose orangé. Mon cul venait à peine de toucher le banc que tu m'as empoigné avec force pour nous branler à deux mains. De temps en temps, tu me lâchais pour enduire tes doigts de salive et me reprenais aussitôt. La voiture se remplissait de soupirs, d'odeurs et de bruits humides.

J'ai ouvert les fenêtres. L'air salin est venu purifier nos saloperies et c'est là, devant le fleuve qui t'a vue grandir, que t'as joui au grand vent.

×××

T'avais des mèches collées au front. Des rires et des spasmes occasionnels te guidaient dans un *cool-down* qui avait tout son temps. C'était pas toi qui décidais, dans le moment. Comme on travaillait en sympathie, je tombais un peu au repos moi aussi, mais je prenais plaisir à me maintenir.

— *Maaaan*, t'as dit, c'est rarement bon de même quand j'me branle tu-seule à frette…

Sauf que j'étais juste à côté et qu'il devait faire trente degrés. Mais au lieu de jouer un peu *cheap* sur les mots, j'ai ajouté, pas moins *cheap* :

— Je connais d'autre chose qui est bon, moi.

— Un popsicle !

— Mouin… moyen.

— Moi, je dis que t'arrêtes au dépanne juste là pis que tu vas nous pogner un pop chaque. Ou un à deux, c'correct. Pis *anyway*, faut que je pisse sur un temps rare, ç'a pas de maudit bon sens.

Je me suis stationné un peu croche et me suis reculotté.

— Veux-tu m'apporter la clé des toilettes, Chou ? Si je rentre dans le dep, j'vas en mettre partout.

J'ai quand même pris le temps de passer à la caisse avant de t'apporter la clé, maintenue par un élastique à un couvercle de pot de crème glacée. J'ai eu le temps de me clencher un Drumstick au complet avant que tu sortes du cabinet avec un air aussi dégoûté que satisfait. Tu m'as tenu la porte et je t'ai donné ton pop.

— Tu te laveras les mains en sortant.

×××

On a repris la route. T'étais heureuse et moi aussi. J'avais le soleil dans l'angle mort, mais toi, t'étais assise de côté, et j'ose croire que tu m'incluais dans la beauté du tableau. Je jetais des coups d'œil furtifs à ma gauche pour voir les couleurs et à ma droite pour te voir sucer ton popsicle en me disant que mon cas était loin d'être réglé. Ça devait se voir dans ma face parce que t'as mis ta main entre mes jambes alors que je sentais ta bouche froide sur mon oreille. Tu t'es occupée de ma boucle de ceinture, du bouton et du zip, mais tu t'es reculée pour me laisser faire le reste en me dévoilant, derrière tes lèvres devenues orange, tes dents prêtes à mordre. *Fuck it*, j'me suis dit, rien de pire que de conduire les jeans aux genoux, surtout à pareille chaleur, j'enlève tout. T'as suivi tout ça en gardant un œil sur la route, une main sur le volant. T'as pris une croque de ton pop, tu m'as tendu le reste et je t'ai un peu perdue de vue.

J'ai steppé au premier contact mais m'y suis vite fait. Un mélange de chaud et de froid qui présentait chaque mouvement comme une surprise. Je tenais le bâtonnet de bois de la main gauche et le volant du bout des doigts de la droite, le bras reposant sur ton dos. Plus le corps étranger perdait en volume, plus tu te concentrais sur ma queue qui en gagnait. T'arrivais pas à contenir toute la salive, si bien que ce qui était pas retenu par le poil me coulait le long de l'aine. Par moments, tu me branlais en léchant autour les régions collantes. Y a fort à parier que la saveur d'orange venait sauver les meubles, du moins en partie, parce que certains relents me rappelaient l'impertinence de porter des jeans par temps de canicule. J'étais profondément reconnaissant de ton abandon. Je me suis allumé une cigarette, sur le *cruise* à 90. Le soleil touchait maintenant le fond de l'horizon, et tu manquais tout ça. Depuis le temps, nos sexes étaient devenus des terrains connus, parfois négligés. J'avais cessé de vanter, même à la blague, mes talents de cunnilingueur, faute de pratique, et les jours de fellation venaient rarement sans raison spéciale. Question d'affaissement plus que d'écœurement, on avait mis de côté les extras pour se concentrer sur l'essentiel : une pénétration bihebdomadaire généralement réglée dans le quart d'heure. On trouvait le tour de s'en satisfaire.

Je ne me rappelais pas que tu m'aies déjà sucé avec autant d'appétit. Tu mettais ton souffle à rude épreuve, ne le reprenais qu'en cas d'extrême nécessité. Tu m'engloutissais jusqu'au fond, là où naissait un bruit qu'on aurait pu croire paniquant si tu n'avais cessé d'y retourner. T'arrivais à te faire la vie dure, même si me prendre au complet n'était pas un grand défi en soi. C'était beau, tu commençais à avoir les yeux pleins d'eau. T'étais à genoux sur le siège. J'ai ramené ta robe jusqu'au creux de ton dos cambré pour découvrir ton cul blanc. J'ai laissé courir mes doigts dans la *trail* de sueur qui suivait ta colonne. J'ai commencé à te tourner autour en me disant que je n'entrerais qu'une fois la nuit tombée. L'entre-chien-et-loup rendait les contours flous et mes verres s'en venaient secs. J'ai allumé les phares, j'ai pris le virage et j'ai crissé les *brakes*. Mon pied était loin de la pédale, ma tête loin du chemin. La tienne, elle, a mangé un coup de volant pis pas à peu près. Tu t'es retrouvée le dos dans les *cupholders* où traînaient les restes de Tim Hortons et le cul tombé croche où devaient être tes pieds. T'as lentement repris une position assise en accusant le coup, mais replacer ta robe passait en premier.

Le chauffeur du camion de bois renversé en travers de la route déposait son premier feu de détresse. Une voiture en sens inverse s'était arrêtée et le conducteur venait à la rencontre du camionneur. Je suis resté à distance.

— T'es-tu correcte, *babe*?

— Ben... je pense ben, là..., t'as dit en portant la main à ton visage.

— Montre donc, voir? Oh, fuck!

— Ben là, quoi?

T'as abaissé le pare-soleil pour constater dans le miroir que le volant avait laissé sa trace sous ton œil. Genre de truc qui prendrait de l'ampleur avec les heures. J'avais déjà eu le nez cassé par une pôle à rideau tombée en me faisant sucer, je m'étais sectionné le frein de la langue en voulant la rentrer trop loin et fendu le bout du prépuce dans le feu de l'action, sans compter les genoux brûlés par le tapis et les ongles dans le dos qui t'amènent au vif. Ces blessures laissent des souvenirs impérissables, y a de quoi être fier. Sauf que, idéalement, ne pas visiter la parenté dans l'heure qui suit.

Il n'y avait d'espace que pour une voiture à la fois, par l'accotement. Le routier gérait la circulation et j'ai été surpris que tu te repenches sur moi alors qu'il nous faisait signe d'avancer. Je reprenais forme arrivé à sa hauteur. Je me suis vaguement enquis de son état avant de lui envoyer la main, celle enrobée de ta culotte. Il rapetissait dans le rétroviseur alors que ton cul revenait dans le décor. À quelques kilomètres de La Pocatière, j'ai repris la 20, même si le plus beau segment de la 132 restait à venir. J'avais envie de rouler vite et je commençais à m'en foutre, du fleuve. Mais surtout, j'avais hâte au crépuscule, avec ce que je m'étais promis.

×××

Comme il était difficile pour toi de parler la bouche pleine, tu communiquais par signes.

Ta croupe qui dansait, le bas de ton dos qui ondulait, le message avait le mérite d'être clair. J'ai
complété le dépassement d'une voiture pour me
ranger dans la voie de droite à une distance res-
pectable. Je suis parti de tes omoplates en laissant
patiner deux doigts qui suivaient tes courbes.
Chaque dizaine de centimètres parcourue te procurait des spasmes impatients. Tu savais ce qui
s'en venait, tu le voulais et ça avait assez duré. Tu
laissais entendre des gémissements étouffés à
mesure que je remontais la pente. De mes doigts
déjà humides, j'ai tracé le contour de ton anus à
quelques reprises, avec tes frissons comme des
applaudissements, puis j'ai continué mon chemin
vers l'orifice voisin et j'ai plongé comme dans un
lac.

T'as pris une pause de moi à ce moment-là
pour t'exprimer comme tu le sentais. Je t'avais
jamais entendue crier comme ça. Tu passais des
aigus aux graves, du rude au mélodique, de la
complainte à la symphonie. T'étais mouillée à un
point tel que, pour bien faire, j'en ai enlevé un peu
en l'étendant sur tes fesses, en l'envoyant par la
fenêtre. Je te prenais en crochet avec les doigts du
centre et je variais entre des passages lents, qui
dessinaient ton sexe ou qui rejoignaient ta main
droite au clitoris, et d'autres passages rock'n'roll
où les bruits de succion mêlés à tes plaintes
créaient une musique grandiose. J'en étais là, avec
un mouvement qui impliquait le bras au complet.
Les bruits de mouille allaient en s'intensifiant et

c'était trop prenant pour que tu mènes une autre activité de pair. Tu te contentais de tenir ma queue collée à ton visage et de remplir l'habitacle de ton cri de guerre, de mort, d'amour. J'ai fermé les fenêtres, je ne voulais rien perdre. Je te laissais bien quelques pauses, mais pas de là à lâcher le rythme. La nuit était bel et bien tombée, on était peu à partager la route. T'as exploré un autre registre alors que je te prenais de nouveau avec mon pouce s'enfonçant, pas si doucement, dans ton cul offert. Je commençais à avoir le bras engourdi, mais à vif comme t'étais, tu m'aurais foutu ton poing sur la gueule si je m'étais arrêté. T'avais repris ma queue dans ta bouche et passé ta main droite sous ma jambe. C'est au moment où j'ai redoublé d'ardeur et que tu m'as inséré un doigt dans le derrière qu'on a cheminé vers ce palier si précieux qui t'a fait arroser à grands jets le banc, que dis-je, la portière côté passager. Ton corps tremblait de partout. Tu râlais, t'éclatais de rire, t'essayais de te calmer malgré toi, mais il se trouvait toujours un nouveau spasme pour te relancer. Je me suis emparé de ton téléphone quand il a sonné. J'ai souri.

— Allô, Nicole...

Ta face a changé d'air assez vite. Tu m'as fait signe de raccrocher. Je t'ai fait signe de me sucer.

— Ben oui, on est encore en vie... Je l'sais ben, maudit... Ouin, 'a dort, là, était fatiguée pas mal, pis avec la chaleur en plus... Ben c'est ça, y avait un camion renversé passé Montmagny... Ouin, pis

on est restés pognés là un méchant boutte...
Ouin... Ben là, on mangera du réchauffé, qu'est-ce
tu veux. Tant qu'y vous reste une couple de p'tites
bières, là...

Tu venais de remettre ton doigt où il était plus
tôt et le mot *bières* a modulé. Tu prenais le
contrôle de mon petit jeu et c'était pas mal moins
drôle que prévu.

— Bon ben j'te laisse, Nicole, là, on se voit tantôt. OK... Oui... OK, c'est ça... Oui, on arrive dans
pas long, là, on a passé La Poc... Oui, c'est bon...
Oui... C'est ça... OK... BYE !

J'ai raccroché puis lancé ton cell sur la banquette arrière.

— Salope !

— C'est de ma mère que tu parles ? t'as dit en
me branlant et en t'enfonçant un peu plus.

— Une ou l'autre, pour c'que ça change, j'ai dit
en t'agrippant par les cheveux.

Je te tenais ferme, mais tu me contrôlais d'un
doigt. Je suis monté à 130 en retournant me promener aux alentours de ton cul. Mes gestes étaient
loin de la précision de l'heure précédente. Des frissons me prenaient de partout, je conduisais les
fesses soulevées et je me foutais bien de ce qui
pouvait se passer à l'extérieur de ce véhicule où
j'entendais ma respiration plus fort que le moteur.
Tu faisais bien ce que tu voulais de moi, tu m'aurais dit de prendre le champ ou de foncer dans le
char en avant, je t'aurais écoutée, en autant que je
vienne en même temps. Je me foutais de tout, oui,

mais quand aux deux phares de notre voisin arrière se sont ajoutées des cerises de police, j'ai vu noir.

— CÂLISSE!... TABARNAK!... SALOPE DE CRISSE!

J'avais de nouveau empoigné tes cheveux et je tirais par coups secs, mais tu voulais rien savoir, tu te renfonçais ma queue au fond et tu gémissais chaque fois que je tirais. J'avais au moins réussi à me libérer le cul, mais je gérais comme une envie de vomir en pensant à l'agent qui entrerait sa grosse face dans un char qui puait le sexe, devant deux jeunes cons à moitié nus, mouillés, bandés. Je me suis vu perdre mon honneur, beaucoup d'argent, la job qui m'attendait en septembre et dieu sait quoi encore.

J'avais peur que la police me voie te frapper dans le dos, te tirer les cheveux, te donner des coups de genou. J'avais peur qu'elle m'entende te crier après, te traiter de tous les noms, les seuls mots que je parvenais à dire dans la situation. J'ai aucune idée si j'arrivais à être discret, mais une chose était claire, t'en redemandais. Tu menais la danse, sous les coups et les injures. Et t'as gagné, tu m'as eu. T'as récolté ton prix au fond de la gorge alors que la SQ nous dépassait enfin pour aller arrêter de vrais bandits, j'imagine. La tension dans mon cou a baissé d'un cran et j'ai giclé une seconde fois, de façon beaucoup moins localisée que la première. On essuiera ou on l'oubliera là.

Tu t'es redressée en riant, puis t'as compris en voyant le bleu et le rouge devant.

— Voyons, mais t'aurais pu le dire, moi qui pensais que tu trippais, crisse !

Rendu là, je m'en foutais rare, de la police.

×××

À destination, mes jambes tremblaient encore. Je me suis stationné derrière le pick-up de ton père. J'ai attrapé mes jeans entre les deux sièges et tu m'as agrippé pour m'embrasser à pleine gueule. On ne s'était pas frenchés depuis l'heure du souper la veille. Je savais que ta mère rappliquerait assez vite sur la galerie, alors j'ai coupé court pour me reculotter commando. Comme de fait, elle nous a harangués aussitôt la porte ouverte.

— Booon, vous êtes pas morts, comme ça !

— Ben non, Nicole, on est ben en vie !

Je t'ai attendue pour qu'on affronte à deux. J'avais la queue et le cul en feu, toi t'avais une bosse bleue qui faisait le pont entre un œil et le nez. J'ai embrassé ta mère. Méchant clash.

— Doux Jésus, faisait chaud dans l'char, mon beau ?

— Une chaleur torride, ma Nicole.

— Je comprends donc. Vous prendrez une douche avant de manger. Aaaallons ma chérie que chus contente de te voir !

Elle t'a prise à deux mains pour une bise agressive. Tu t'es défaite de son étreinte en cachant ta douleur. C'est là qu'elle t'a vue comme du monde.

— Mais que c'est qui t'est arrivé, ma chouette, maudit, t'as la face toute enflée !

T'as balayé de la main, même pas eu la force d'inventer une réponse.

J'ai discrètement retiré le string-bandage. Ta mère s'est retournée pour crier à ton père qu'on n'était pas morts mais que sa fille avait un œil au beurre noir. On avait peine à croire ce qui arrivait. J'ai essuyé en vitesse une trace de sperme sur ton menton. Ta mère est revenue vers nous.

— Ben là, entrez, faites pas vos pichous !

La lumière reflétait une zone luisante sur sa joue.

Sarah-Maude Beauchesne

La Madrague

J'aime ça, les belles filles. Surtout l'été près d'un cours d'eau ou creux dans le bois, mais surtout loin de la ville et de ceux qui sont pas capables de les trouver belles comme il faut. Je les veux juste pour moi.

Ça pogne sur Instagram. Gros PDL (potentiel de *likes*).

Je trouve ça beau dans un maillot de bain un peu trop serré qui squeeze la bédaine à cause des pintes de fin de semaine, dans un maillot qui porte chance l'été (belle température, frenchs abondants, chauffeurs de taxi gentils). Je trouve ça beau, une fille dans un maillot, souvent au bord de l'aine on peut voir une petite repousse négligée de poils naissants, drus parce qu'à notre âge on se rase, on s'épile pas. Trop long, trop cher, trop compliqué. C'est beau, une fille en maillot un peu mouillé, surtout au niveau de la fesse, surtout quand les seins débordent un peu, genre que des fois on a peur qu'un mamelon sorte, mais finalement non ça va être correct.

J'aime ça, les filles. C'est doux dans le cou. Ça sent bon. Ça sent souvent le Narciso Rodriguez, la bouteille rose. L'eau de parfum chère qu'on achète juste en rabais parce que sinon on peut pas aller au resto aussi souvent qu'on le voudrait. Portefeuille serré, parents tannés de nous faire des virements Interac pour toute pis rien.

J'aime ça, les filles, parce que ces temps-ci, c'est la mode des tatouages raboteux sur les doigts et autour des poignets, souvent ça veut rien dire et c'est ça l'important. C'est pour l'attention, pour attirer l'œil, pour s'inventer une vie chaque fois qu'on leur demande ça veut dire quoi pour vrai.

J'aime ça, les filles au chalet comme en ce moment, on est bien, les quatre au bout du quai à regarder le soleil se regarder dans l'eau, à essayer de bronzer à travers notre crème solaire, à boire du rosé sec pis à parler de comment on aime nos chums, de comment on tolère la nature pour les fois qu'elle nous émerveille, de comment la job est *tough* pis que tout le monde nous haït.

Quand je prends une photo de ces trois filles-là ensemble, ça peut aller jusqu'à genre deux cents *likes* sur Insta pis ça fait ma journée à chaque fois. La première, c'est J., pour Jeanne (son prénom est rendu trop populaire pour qu'elle l'assume vraiment), elle est blonde-pas-pour-de-vrai. C'est une parfaite qui pogne vraiment quand elle va au gym pis son père est riche. Mais surtout, elle a une face de sirène et ses insécurités sont même pas capables de la rendre moins belle. La deuxième est ben trop jeune pour pas me faire angoisser et sa nonchalance est enviable. Souvent, elle porte des petits bas blancs dans ses runnings et des *mom jeans* lousses parce qu'elle a pas besoin de se rassurer avec un kit qui l'avantage. Son nom commence par un K (nouvelle génération), c'est une comédienne qui pogne tous les rôles de jeune androgyne et elle est capable de pleurer sur commande même si tout est beau dans sa vie. Ça coule pareil. Deux secondes pis 'a braille. La troisième, c'est un peu un génie parce qu'elle est allée à Cannes y a une couple d'années pour un court métrage ordinaire mais ben ben graphique. Elle porte tout le temps des gros talons hauts en bois qui font du bruit même sur un tapis pis elle est juste à l'aise dans une robe longue pas de bobettes en dessous. Elle nous montre sa *crotch* à chaque fois. Comme pour nous convaincre qu'elle est plus confo comme ça. On comprend.

Au bout du quai, on parle de notre ligne de bronzage qui nous rend heureuses. Les gens en ville vont nous envier, on va leur montrer qu'on a les ressources pour aller décrocher sous un ciel plus clair que le leur, sous un soleil qui grille mieux. Ça me réconforte de penser que mes grands-parents m'aiment encore assez pour nous prêter leur résidence très secondaire qui se sent toute seule tout le temps. Ce qu'ils savent pas, c'est qu'on va se ramasser les quatre dans leur lit à bouffer des Doritos un sac chacune parce qu'on a trop fait de MDMA. On va salir les draps avec nos doigts tachés de poudre BBQ, on va laisser la trace de notre séjour gourmand un peu partout, on va immortaliser ça avec un Polaroïd, on va écrire «Poésie de chalet» en Sharpie sur la bande blanche, on va prendre la photo en photo avec notre cell pis, rendues sur Facebook, on va montrer aux amis qu'on n'a jamais rencontrés qu'on sait faire de l'art même quand notre switch est à off.

On fait souvent des crises d'angoisse.

Le soleil est fatigué mais il s'acharne à nous réchauffer, on en est à notre cinquième verre chacune, on sait pas vraiment si on est soûles, on s'est pas levées de notre serviette encore. On roule sur le ventre pour bronzer derrière les genoux et on se met à parler dans le dos des autres filles qui ont pas pu nous suivre dans le bois à cause de pas grand-chose d'important (un chat tout seul, un poème à finir, une chicane à régler). On s'acharne sur celle qui chiale tout le temps pis qui a beaucoup trop de succès dans toute. Elle joue dans un téléroman et on trouve ça triste qu'elle ait vendu son âme à la télévision ordinaire. Les dialogues sont pourris pis Claude Legault joue un méchant, ça marche pas pantoute. Mais on rajoute qu'on envie ses belles boules lourdes juste assez pis son célibat. Elle est libre, elle fait ce qu'elle veut, et sa capacité à séduire sans en avoir l'air l'aide vraiment.

Pis finalement on change de sujet parce que ça gâche notre paix.

La plus jeune, celle que son nom commence par un K audacieux, sort la MDMA de son sac à dos en vrai cuir (elle est aussi riche que le père de J.) et assaisonne notre rosé sec. La première gorgée est dégueulasse, mais on oublie vite.

On se fait des *tchin* souvent. C'est plus festif.

Le génie a chaud, elle enlève son haut de maillot, on la regarde faire, on regarde ses seins tomber mollement parfait sur son ventre, c'est impressionnant à voir aller, des gros seins qui se reposent, qui prennent de l'air. On dirait que les petites boules ont trop pris le devant dans ce qui est beau dans la vie. Je suis pas d'accord avec ça.

On la tchèque, on s'emmagasine des souvenirs pour plus tard toutes seules dans notre lit, elle aime ça. On s'est entendues pour dire que les hommes ont de la misère à comprendre la vraie beauté; les grains de beauté en série, les *stretch marks* en forme de chemin sinueux, les genoux bleus, les cheveux avec des nœuds, les clavicules fragiles. Nous, on voit tout ça ben avant eux. Le regard d'une fille, c'est ben plus payant pour la confiance en soi.

J'admire ses mamelons, plus gros que les miens, plus foncés, je me demande ce qui est plus beau: petits et durs ou gros et colorés. Ça dépend de la fille, sûrement. J. enlève son haut de maillot elle aussi. Elle attendait juste le go, elle haït ça être la première à faire de quoi de fougueux, même si c'est elle qui a envie avant tout le monde, tout le temps. Elle refoule trop, ça gosse. Je regarde un peu moins ses seins à elle parce que j'ai toujours eu de la difficulté à me laisser aller pis à l'imaginer toute nue. Je l'aime trop, j'ai pas envie de la désirer, ça viendrait toute fucker notre amitié spéciale. Malgré que là, il soit trop tard et que j'aime ça. Ça m'apprendra à me retenir, c'est toujours pire. J'enlève mon bas de maillot pour pas être comme les autres, pour faire différent, pour varier le paysage. Les filles sont intriguées par ma technique de trime, je leur explique que j'y vais au hasard, c'est con de calculer des affaires de même. C'est toujours plus beau quand c'est fait avec désinvolture. Alors moi, je me rase les yeux fermés pour laisser la vie décider de la forme que va prendre ma délicate forêt. Mais je suis chanceuse à la base, je suis pas forte du poil, il est doux, discret. Les filles me disent que ç'a l'air accueillant, ça me fait un velours. Puis on se tourne vers K.-la-jeune-androgyne, on lui conseille de se crisser toute nue au complet pour la forme et surtout parce qu'elle porte un *one piece*, y a pas d'entredeux. Elle hésite un peu, elle veut qu'on s'énerve et qu'on rêve à elle sans son maillot avant de nous faire un spectacle à son tour, c'est manipulateur juste assez et ça fonctionne. Mais on l'attend pas, on trempe nos pieds dans l'eau, on se colle, j'appuie ma tête sur J. et le génie flatte ma cuisse, elle fait couler de l'eau dessus aussi, c'est chaud sur ma peau. Une goutte tombe entre mes jambes, dans ma forêt, j'haïs pas ça, je lui dis de recommencer en riant pour pas sonner trop intense, elle est contente. J. est jalouse de toute cette attention, alors elle enlève son bas de maillot elle aussi et demande qu'on fasse glisser de l'eau là parce que c'est son tour, ç'a l'air. On n'hésite pas une seconde, c'est le fun, pas compliqué.

K. s'allume une cigarette et fait jouer notre chanson d'amitié, un *remix* hipster de *La Madrague* de Bardot, c'est notre été en musique et en délicatesse. Ça dit : « Sur la plage abandonnée. Coquillages et crustacés. Qui l'eût cru déplorent la perte de l'été. Qui depuis s'en est allé. On a rangé les vacances. Dans les valises en carton. Et c'est triste quand on pense à la saison. Du soleil et des chansons. »

Ça nous parle. On danse un peu, mais c'est deuxième degré parce qu'on est insécures. K. nous observe nous tremper les seins dans l'eau maintenant, on joue à qui qui est le plus sur les hautes, elle aime ça nous regarder d'en haut, elle en a vu d'autres. Elle a dix-neuf ans à peine et elle a déjà fait l'amour à une dizaine de filles pas-juste-belles-sur-leur-photo-de-profil. C'est inné chez elle, la séduction, l'envie de goûter à tout et de pas se restreindre à juste une sorte d'humains. On devrait apprendre d'elle, on est en retard, mais ça s'en vient, je pense. Juste à se voir aller, là, je le sens qu'on va se libérer. La chanson finie, je lui demande de mettre notre deuxième toune d'été, celle de LCD Soundsystem, on va lui montrer nos *moves* de nage synchronisée, on va improviser. C'est juste une raison pour faire des chandelles et lui montrer qu'on a finalement tout enlevé. La musique part tranquillement, le gros bout s'en vient, celui qui nous donne envie de rouler vite en ville pas attachées. Ça donne surtout envie à K. d'enlever son *one piece*, on trippe presque autant que quand on tchècke du YouPorn lesbi en se faisant les ongles. Elle se met toute nue mais reste sur le quai, elle veut garder son spot, elle se sent forte comme ça à analyser notre façon de se séduire entre nous autres. Je la trouve cool d'agir comme ça, je pense que j'aimerais être sa blonde, elle prendrait soin de moi pis on ferait l'amour souvent. Sur un quai, sur le bord d'une piscine, dans un parc sur une couverte, sur un lit de lichen dans le bois ou dans un lit pas de draps. Je pense à ça et le génie frenche J., c'est une scène de film. Je suis jalouse de pas être dedans mais il faut que je laisse ma place des fois, ça me travaille tout le temps, c'est pas naturel chez moi de regarder les choses aller. Au chalet, c'est correct que ça soit différent.

Je dis aux filles que notre journée est parfaite, qu'y manque juste Roy Dupuis. C'est notre grand rêve d'attirer son attention, mais je pense qu'il a pas Facebook. Nos chums nous ont donné la permission de faire l'amour avec si jamais on le croise, c'est notre clause vedette. Mais paraît qu'il est tout le temps sur un voilier à chialer contre le vent, faque on le croise jamais. Même pas à La Buvette. C'est poche.

Je sais pas si on va finir par se toucher pour vrai entre nous, je sais pas si ça nous tente, c'est ambigu. Je pense qu'une fois rendues la tête entre nos jambes on va un peu choker, soit à cause de la complexité de la chose, soit à cause de l'amitié tout court. Je sais pas si on a le droit de s'embrasser le bijou juste pour le fun, juste parce qu'on est en congé loin de la ville et de notre sexualité au quotidien qui nous ressemble pas tant que ça quand on y pense (des cunnis maladroits par des gars qui sauront jamais vraiment comment pis de la sexu en étoile parce qu'on a notre journée dans l'corps). Le génie se met à parler du pénis de son chum, moi ça m'intéresse pas. Je change de sujet, j'attire leur attention sur mes mamelons qui sont chacun de la taille d'un Smarties, les filles m'examinent, K. saute dans l'eau, ça nous dérange un peu, mais elle se pend vite au cou de J. et lui donne un peu de sa bouche, qui est en feu depuis ben trop longtemps. On gâte l'eau du lac avec notre excitation gênée, on se le dit pas, mais on sent toutes que l'eau est plus chaude, c'est évident. Les voisins trois quais plus loin se doutent de rien, ils pensent que le soleil fait la job, mais c'est notre entrejambe qui joue à la thermopompe. Ça nous fait plaisir.

On entend les kids d'à côté faire des bombes, aussitôt on débuzze, K. lâche le cou de l'autre, c'est raide comme geste mais on est toutes molles, faque rien pis toute nous dérange. On s'étend sur le quai, on commence à grelotter, on remet notre toune, celle de Bardot, on fait comme Roy pis on chiale contre le vent qui gâche toute notre *vibe* pis qui nous donne la chair de poule. J. va chercher sa sortie de bain en ratine, K. essaie d'attraper une araignée d'eau dans notre dos pour pas qu'on capote, le génie s'arrache une vieille gale au sommet de son genou, moi je vide les fonds de rosé sec pour pas trop perdre mon élan.

J'ai envie d'aller m'étendre encore humide de partout dans le grand lit d'amis sur la mezzanine. Pour me reposer, rêver éveillée. J'entre dans le chalet, la clim me gosse, c'est une maison de vieux et les vieux sont dépendants de la clim. Les vieux me gossent un peu aussi, sauf ceux qui sont seuls et qui pleurent en cachette en mangeant des *jelly beans* noires. Comme ma grand-mère, morte à côté de son bichon. Je monte dans l'échelle en bois, ça me prend plus de temps que prévu, je suis grande et maigre pas-par-exprès et mon corps est plus ou moins habitué de grimper, c'est pas une chose que je fais souvent. Je m'étends sur la douillette en patchwork, les coutures chatouillent un peu ma peau mais c'est pas désagréable, je suis capable d'endurer ça. Je flatte ma forêt doucement, trop doucement pour commencer à aimer ça. On dirait que de me toucher dans un lit qui est vraiment pas le mien ça me donne l'impression que quelqu'un me tchècke. Pas quelqu'un d'excitant mais plus quelqu'un de *creepy* qui te donne pas envie d'aller plus loin dans le plaisir. J'entends les filles entrer en bas, elles font du bruit. Je trouve ça drôle, le génie est sûrement encore toute nue avec ses gros souliers en bois, j'imagine ses fesses plus femme que les miennes rebondir, j'imagine aussi ses seins qui ont chaud, je trouve ça beau même si d'habitude, dans une conversation, si on me demande si j'aime mieux les mamelons au frette sur les pines ou plutôt tièdes au repos, je réponds tout le temps que plus c'est dur, plus ça vaut la peine de toucher. C'est un sujet qui revient souvent quand on se pacte au Sour Puss le vendredi. C'est futile mais ça comble les silences.

C'est sûr que K. chiale dans sa tête après son corps de préado de treize-quatorze ans et que J. l'envie à mort en silence, qu'elle regarde ses hanches pointues, son dos creux, ses fesses pas là, son petit cou qu'un rien pourrait casser, ses cheveux de bébé sur le front, ses cuisses qui se toucheront jamais pis ses épaules de petit gars en se disant qu'elle vendrait son condo sur la rue Mentana pour tout avoir ça.

Moi, à sa place, je garderais le condo, y a une véranda pis un îlot pratique, une cour pis des voisins élégants pas d'enfants:

La MDMA les gâte, je le sens, ça s'entend. Moi, ça pogne jamais autant, jamais aussi longtemps. C'est à cause de ma grandeur.

J'entends le cuir du sofa glisser contre la peau encore mouillée des filles, ça rit fort, le génie sonne incontrôlable juste assez. Chaque fois qu'on fait de la drogue de guidoune, soit elle déboule des escaliers, soit elle se chicane avec un inconnu pour finir par se faire doigter dans une ruelle. Ses histoires nourrissent nos étés. Des fois, je les raconte à des gens dans un 5 à 7, mettons, pis je dis que c'est moi qui ai fait toute ça, faque j'ai l'air wild pis ma vie sonne parfaite parfaite.

Je me lève du lit, je veux les espionner. Les filles se donnent des becs. C'est humide, y a beaucoup de salive, c'est la meilleure sorte de french, ça, même si souvent on a peur de trop se beurrer. Après, notre bouche est toute engourdie pis le salé de nos fluides nous empêche d'oublier toute le plaisir qu'on a eu à se manger les lèvres. Faut en profiter.

Moi, je commence à m'énerver le corps pis j'ai vraiment l'goût de me toucher pis de venir pour me débarrasser de mon envie pour de bon, mais le lit m'angoisse pis la courtepointe fait vraiment pas sexuel. Faque je descends. Toute nue. Si quelqu'un m'attendait en bas de l'échelle, il serait témoin de tous mes petits racoins intimes de sa vue en contre-plongée.

Le génie pis K. se lichent la face avec leurs langues douces et J. regarde en souriant et en se touchant les bouts de seins, elle fait semblant d'être gênée, c'est son personnage sexuel, on le sait. Elle se retourne quand j'embarque sur le divan derrière elle, je fais du bruit avec mes genoux sur le cuir qui a chaud, elle est contente, ça paraît dans sa face et ses mamelons deviennent plus durs, c'est l'effet que je lui fais. Je me sens vraiment belle, d'abord. On s'embrasse moi pis elle, K. pis le génie pis vice-versa, on goûte à toutes nos bouches même pas pour comparer, juste pour faire différent. Ma face se met à sentir la salive et le rosé sec.

Et les quatre ensemble on s'allonge par terre pour avoir plus de place, pour éviter de se limiter à trois coussins de long. Nos élans sont intenses, on bouge beaucoup, on se donne des coups de coude sans faire exprès.

En sardines sur le tapis blanc très prêt à accueillir nos fluides si jamais on va jusque-là, on s'échange de l'affection qu'on a juste vue dans les films à date.

La vie d'Adèle nous hante depuis le début de sa gloire. L'affiche du film dans mon salon en ville, c'est pas pour la déco, c'est pour nourrir mes nouveaux fantasmes.

K. prend le *lead*, elle nous touche partout, elle sait comment faire, on est impressionnées par son doigté impeccable. Va-et-vient doux chacune notre tour. Caresses assumées. Regards gênés. Langues énervées.

On oublie qu'on est des amies pour de vrai, sinon on n'en viendra pas à bout. On est bien, les trois comme ça avec K. dans le gros rush du plaisir d'en bas. On finit ça pas synchro, J. traîne un peu, on dirait qu'elle veut étirer ça plus que nous. On l'attend, on est patientes, c'est correct. Je m'y mets moi aussi, je contribue, j'ai pas des doigts de fée à ce niveau-là, mais je tchècke K. et je l'imite, j'ajoute ma touche, je me pense déjà bonne. Puis, enfin (grâce à moi sûrement, j'aime ça penser ça), on sent la retardataire se raidir dans le bon sens. On essaie de reprendre notre souffle, de désengourdir, d'analyser notre humidité pendant que

K. continue de s'énerver, elle voudrait que ça se termine en très grande beauté pour elle aussi, mais on est fatiguées tout d'un coup, c'est rushant. On évite de se regarder dans les yeux. L'air sent quelque chose maintenant mais on dit rien, ça sent l'intimité et l'été et les cheveux mouillés et les cuisses collantes. Du vrai parfum. Il fait chaud, on dit à notre androgyne tout excitée de se calmer, de s'étendre, que ça sera son tour après notre saucette, pis on lui demande si elle a d'autre MDMA pour plus tard en soirée.

Elle est frue, elle monte sur la mezzanine pour aller se toucher. On la regarde monter en contre-plongée, c'est spécial comme angle. Mais c'est beau aussi. On la complimente, mais elle répond pas. C'est pas grave, quand on est jeune comme elle, on se défâche vite pour des affaires sexuelles de même.

Pis nous, on sort, on saute dans le lac.

On joue à Marco Polo pour un peu oublier qu'on vient de fourrer.

Alexandre Soublière

Faudrait pas en perdre des bouts

— T'étais où ?

Olivia revient vers le lit et s'étend à mes côtés, les joues encore écarlates. Ça fait environ deux ans qu'on se fréquente.

— Je suis allée me finir dans la salle de bains.

Je suis nu et le drap colle à mon pénis lorsque je me redresse.

— Te finir ?

— Ben oui. Je fais souvent ça.

— Souvent ?

— Des fois, je veux venir avant de m'endormir, moi aussi.

— Je veux dire « souvent » comme quand on fait l'amour ? Ou aussi quand je suis là ou pas là et qu'on fait autre chose, genre *pas* l'amour ?

— Je sais pas. Tu calcules ça, toi ?

— Non non.

— Bonne nuit.

Je passe la nuit à mal rêver. Dans mes cauchemars, Olivia me demande de la rejoindre dans une cour d'école de banlieue la nuit et, lorsque j'arrive, je l'aperçois au sommet d'une glissade en train de se faire doigter par un skateur aux cheveux longs.

Ensuite, en riant et en me regardant droit dans les yeux, elle se dirige vers une balançoire sur laquelle un beau musicien moustachu joue de la guitare. Il gratte ma chanson préférée pendant qu'Olivia tente de l'embrasser. Pendant ce temps, le skateur me demande si je veux quand même être son ami, dude. Je me réveille en sursaut.

Le lendemain, seul chez moi, je me précipite sur le Web et cherche des sites d'espionnage. Je commande quatre caméras miniatures, le tout pour plusieurs centaines de dollars.

Mon équipement d'espion arrive dans une boîte remplie de papier bulle. Je le déballe avec hâte et passe à travers toutes les instructions. Le temps venu, j'appelle Olivia à son travail pour lui expliquer que j'ai oublié un livre chez elle et que j'en ai absolument besoin dans la journée pour une présentation. Je lui dis que je vais passer la voir pour lui emprunter la clé de son appartement.

En arrivant chez elle, je m'assure que je suis bien seul et je me rends à la salle de bains. Je perce un petit trou dans le mur pour insérer une caméra avec vue sur le bain et sur la toilette. J'en glisse une autre près du plafonnier, ce qui me permettra d'obtenir un plan large de la pièce. Je fais la même chose dans sa chambre. Je me dépêche de ranger le tout et de m'assurer que rien ne dépasse. Il me faudra récupérer les caméras dans quelques semaines. J'ai lu tous les forums sur le sujet. Le plus facile et le plus rapide sera d'importer dans mon ordinateur les images emmagasinées sur leurs petites cartes mémoire. Pas besoin de gérer de Bluetooth, de wi-fi, bla bla. Je quitte l'appartement. Tout est prêt. Je rapporte le trousseau à Olivia et lui donne un bec sur le front.

Je pensais que les caméras me rendraient moins anxieux, mais les jours passent et j'accumule les chicanes avec Olivia. J'ai appelé ma mère pour lui demander si elle pensait que ma copine me trompait, mais sa réponse ne m'a pas beaucoup éclairé. Elle m'a dit que, dans la vie, il fallait «toujours prévoir le pire». Je pense que ma mère ne se préoccupe pas trop de mon bonheur amoureux, mais peu importe, les caméras me diront la vérité très bientôt. Ce soir, encore, Olivia ne m'a pas texté pour me souhaiter bonne nuit et j'ai paniqué comme un idiot. Elle m'a expliqué qu'elle avait oublié parce qu'elle hébergeait une amie et qu'elle s'était endormie tôt. Endormie *tôt*? Vraiment? J'ai hâte de voir ce que je vais découvrir. Je me demande si l'amie en question a dormi sous les couvertures avec Olivia. Était-elle en pyjama ou en sous-vêtements? Ou simplement nue? La peau toute chaude à proximité de ma copine à moi. Peut-être se sont-elles effleurées pendant la nuit sans faire exprès, en se retournant ou quelque chose comme ça.

Olivia ouvre les yeux pendant la nuit et aperçoit les seins nus de son amie juste au-dessus de la couverture. Elle se sent mouiller et commence à se toucher en silence. Lorsque la pression devient trop forte, elle se met à flatter le bas du ventre de son amie avant de glisser ses doigts sous le coton de sa culotte pour se frayer un chemin à travers son poil jusqu'à sa fente. L'amie mouille à son tour presque instantanément et se met à respirer de plus en plus fort.

Peut-être? Je ne sais pas. Est-ce que ça se peut?

Ou alors elle ne m'a pas texté bonne nuit parce qu'elle se touchait dans la salle de bains avant d'aller s'étendre à côté de son amie avec qui elle partageait son lit le temps d'un soir? Comme elle le fait quand je suis là moi aussi? Accroupie près de la douche sans bas de pyjama, en train d'essayer de se faire venir le plus rapidement possible?

Et l'amie pousse la porte, pensant qu'Olivia se brosse simplement les dents. Les deux se regardent, gênées, mais l'amie ne sort pas de la pièce. Elle retire le bas de son pyjama rose et s'installe devant Olivia. Elles se regardent l'une et l'autre se masturber, jambes écartées, et tentent alors d'atteindre l'orgasme simultanément avant d'aller se coucher et de ne plus jamais parler de cette soirée.

On ne sait jamais vraiment ce qui se passe quand on est absent. Après tout, je pense aux deux filles, mais peut-être qu'aucune amie n'a dormi là. Peut-être qu'elle m'a menti parce qu'elle préférait rester seule. Elle est allée s'acheter des jouets sexuels en revenant du boulot et voulait les essayer sans moi. Elle les cache dans une boîte au fond d'un tiroir, près du lit.

Elle se lève pour les prendre et agrippe une bouteille de lubrifiant au passage en marchant sur un tas de vêtements sales. Elle étend bien le liquide visqueux sur un dildo bleu et dépose son pied sur le rebord du lit pour bien s'écarter. Elle se fait l'amour avec l'objet. Est-ce qu'elle en a acheté un seul, finalement, ou deux, ou trois? Peut-être que le deuxième est rouge, plus petit, plus lisse, plus délicat. Elle l'enduit de gel lui aussi pour procéder à une double pénétration en solo, le cul redressé vers mes caméras dont elle ignore la présence. Elle pousse de petits cris et ses fesses se crispent sous le joug de l'orgasme.

Et si c'était un ex-copain qui était venu cogner dans sa fenêtre au début de la nuit?

— Olivia, tu te souviens de moi?
— Mathieu? Qu'est-ce que tu fais ici?
— Est-ce que je peux entrer?
Olivia lui ouvre la porte et il s'assied sur le divan.
— Merci.
— Tu peux pas rester longtemps, là. Si mon chum apprend que t'étais ici, il va péter une coche. Il est tellement intense ces temps-ci, j'arrête pas d'essayer de le rassurer, mais y a rien à faire. Il chigne à l'infini. Je pense qu'il n'a pas confiance en lui. Aussi, il est faible.

Et moins beau qu'avant. Il prétend être narcissique,
mais au fond, il est juste weird.

— *Je suis pas venu ici pour parler de ton chum.*

— *OK?*

— *Je voulais t'annoncer quelque chose et peut-*
être en profiter pour te demander un service en même
temps.

— *T'as pas l'air bien. Qu'est-ce qui se passe?*

Olivia se lève et verse un verre d'eau pour Mathieu.
Il enchaîne:

— *Il y a quelques semaines, j'ai appris que j'avais*
le cancer du pénis.

— *Tu me niaises?*

— *Non. C'est pas drôle.*

— *Ben là, y a sûrement des traitements...*

— *Je vais devoir subir une pénectomie.*

— *C'est quoi, ça?*

— *Ils vont me couper le pénis.*

— *Il doit y avoir d'autres options! Ça se peut pas!*

— *Y aurait l'option de me sauver en Arizona puis*
d'attendre que le cancer me monte jusque dans le cer-
veau, mais sinon, je sais pas.

— *Écoute, c'est vraiment triste, je sais pas quoi te*
dire.

— *T'sais, parmi toutes mes ex, c'est vraiment avec*
toi que j'ai toujours eu le plus de plaisir au lit.

— *Écoute, là... Je sais pas...*

— *J'ai apporté ton vin préféré.*

Mathieu dépose son sac sur le divan et en sort une
bouteille de vin rouge.

— Je peux pas juste faire l'amour avec toi sur demande, comme ça. Je comprends ta situation, vraiment, mais j'ai un chum, je... je sais pas.

Olivia dépose sa main sur la cuisse de Mathieu pour tenter de le réconforter. Ce dernier lui flatte le dessus des doigts. Un frisson passe dans la colonne vertébrale d'Olivia et elle se lève. Elle pousse Mathieu sur le divan et, pendant qu'il se déshabille, elle se rend dans la cuisine pour en revenir avec une bouteille d'huile d'olive. Elle en verse un filet sur le pénis de Mathieu, qu'elle commence ensuite à frotter entre ses deux paumes. Elle pensait rester habillée, mais la chaleur du membre et du moment l'invite à retirer son pyjama et son chandail. Elle ne porte maintenant qu'un string. Elle monte au-dessus de la figure de Mathieu pour lui donner le meilleur angle de vue possible sur le petit vêtement. Le poil et le rose du sexe d'Olivia débordent du tissu et ses gros seins pendent à l'envers. Mathieu donne quelques lichettes au cul qu'il a devant lui, mais, trop excité, il n'en peut tout simplement plus. Il renverse Olivia au sol et lui arrache son string. Il prend bien soin d'écarter les jambes de ma copine le plus possible pour qu'elle expose son odeur et affiche son consentement. Il insère son pénis cancéreux en elle et tente de bien fixer le moment dans sa mémoire pour les jours de pluie, quand il n'aura plus accès à son propre plaisir. Olivia lève les bras et, remplie d'extase, ne peut se retenir de sourire. Elle pousse même un rire timide. Il y a si longtemps qu'elle n'avait pas été touchée par quelqu'un d'autre que moi ! Sa chair et ses seins vibrent sous les coups des hanches de

Mathieu. Il approche sa bouche et mordille le bout des mamelons d'Olivia qui, elle, répond en tirant sur sa nuque, l'obligeant à prendre une bonne partie de son sein dans sa bouche. Plus les coups de langue s'accélèrent, plus la salive s'étend sur sa peau et plus son jus dégouline hors de son sexe. Olivia se touche parce qu'elle désire venir en même temps que Mathieu. Soudainement, il se souvient qu'elle aimait ça quand il insérait quatre doigts en elle. C'était le truc pour l'attiser au point où elle perdait totalement le contrôle de son corps et se mettait à trembler comme une feuille. Pendant que toute la main de Mathieu laboure l'entrejambe d'Olivia, elle lui prend une fesse et lui demande si elle peut recevoir ses jets de sperme chaud directement sur sa langue et sur ses lèvres. Il ne refuse pas, puis se place dans la bonne position pour bien viser. Olivia ouvre sa bouche bien grand et sort sa langue comme si elle était chez le docteur.

Non. Impossible. Olivia ne serait pas du genre à toucher un pénis cancéreux. Encore moins à l'insérer en elle. Elle a beaucoup trop peur des maladies pour ça. Et elle ne couche pas avec n'importe qui. Quoique son ex, je ne sais pas. Qu'est-ce qu'elle fait toutes ces soirées où je ne suis pas là ? Est-ce qu'elle pense à moi ? Pourquoi elle ne m'appelle jamais ? Est-ce qu'elle en appelle d'autres ? Est-ce qu'elle s'ennuie des autres ? Ceux avant moi ? Est-ce qu'elle regarde de la pornographie normale ou plutôt dégoûtante ? Comment je fais pour deviner ce qu'elle a en tête ? Est-ce que c'est vrai, le truc des quatre doigts ? Est-ce qu'il m'est arrivé de lui venir dans la bouche ? Je ne m'en souviens plus. Est-ce qu'elle va demander à Mathieu une copie de son pénis coupé pour l'exposer dans un bol de formol sur le vaisselier ? J'ai hâte de récupérer mes caméras. Comme ça, je pourrai en avoir le cœur net. Et si jamais je découvre qu'elle est une bête sexuelle avec les autres, au moins je pourrai me toucher en l'espionnant. D'ailleurs, plus j'y pense et plus un côté de moi espère que la vidéo soit croustillante. Je sens ma queue devenir dure, je devrais me toucher.

La semaine d'après, je débarque chez Olivia équipé de mes outils avec l'intention de décrocher les caméras pour en regarder le contenu en cachette chez moi. Elle m'attend dans le cadre de porte avec une expression peu invitante.

— Pourquoi tu m'as pas souhaité bonne nuit l'autre soir ? Ça fait des années que t'oublies jamais.

— Arrête avec ça, j'étais avec des amis, je te l'ai dit.

— « Des amis » ? Tu m'avais pas dit « une amie » ? Avec qui tu me trompes, pour vrai ?

— Arrête...

— Pour vrai, me le dirais-tu ou il faudrait que je le découvre moi-même ?

— C'est pas drôle, t'es rendu complètement désaxé.

— Tu me trompes avec ton ex, c'est ça ? Tu l'aimes encore ?

Olivia se met à pleurer avant de répondre :

— Quel ex? Mathieu? Ça fait tellement longtemps que je l'ai pas vu. Il pourrait être genre en Arizona pis je le saurais même pas! Arrête, là!

— Pis pourquoi il serait parti là-bas?

— Hen?

— Olivia, écoute, je suis pas bien avec toi. Tu me mens tout le temps pis j'suis tanné.

— Ça sort d'où, tout ça? À t'écouter parler, peut-être que je devrais en prendre, des nouvelles de Mathieu, dans le fond.

— Bon! Je l'savais! R'garde, je pense que ce serait mieux que ça se termine ici, toi et moi.

Olivia passe une heure à verser des larmes et à m'expliquer ses états d'âme. Moi, je l'écoute à peine et je pense à l'excuse que je vais devoir lui servir pour décrocher mes caméras. Je profite d'un moment de silence pour lui demander si je peux vivre un instant seul avec moi-même dans son appartement pour ramasser mes vêtements et faire mes adieux au lieu. Elle sort prendre l'air. Je récupère rapidement mes caméras et je pars avant son retour.

Chez moi, je m'empresse de me diriger vers mon ordinateur pour télécharger les vidéos des cartes mémoire. Je les regarde toutes. Il y a plusieurs heures d'emmagasinées. Je prends mon temps. Je ne dors pas. Je veux tout voir. Ce que je découvre me surprend davantage que tout ce que j'aurais pu imaginer: elle est sage, tranquille, ne touche à personne, regarde des films, puis s'endort. Chaque jour. Chaque nuit.

Sara Lazzaroni

Bière, chalet, poésie de l'hiver

Une flaque d'eau s'est formée autour de la pile de bottes amassées dans l'entrée. Les lacets flottent dans cette mare de sloche brune. L'écorce du bouleau crépite furieusement dans le poêle, qui est aussi en quelque sorte l'âme du chalet. La bicoque se tient forte au cœur de l'hiver. Son tronc est fier. L'épaisse volute qui s'échappe de la cheminée monte vers le ciel avec dignité. Les carreaux sont couverts de buée. Quelqu'un a posé une boîte de conserve et un chaudron sur la tôle. Les manteaux sont suspendus au-dessus, pour sécher. Les plus expérimentés enseignent les accords de guitare aux novices. Quelqu'un souffle dans un harmonica. Le ratio bouteilles-têtes laisse suggérer que la soirée sera mémorable ou bien désastreuse. Les caisses de bières vides sont déjà pleines.

Les parents d'Antoine leur prêtent le chalet quelques fois par année, à condition de laver la vaisselle, de passer un coup de balai et de tout remettre en place avant de cacher la clé sous le nain de jardin. Antoine et son frère ameutent le plus de monde possible et chargent les voitures comme des wagons de bétail. Le chalet est situé au bord d'un lac. Puisque aucune route ne se rend jusque-là, il faut donc chausser ses raquettes et porter sa caisse de vingt-quatre sur son épaule. Ici, il reste encore des miettes d'étoiles éparpillées. Pas de réseau satellite. Un mince filet d'eau s'écoule entre les lèvres pétrifiées du ruisseau. En se mettant à genoux, les mains repliées en forme de coupole, on peut boire à même le sein généreux de la forêt. Les troncs maigres tiennent lieu de tanières aux milliers de petites créatures qui remuent silencieusement, tapies dans la neige.

Elle s'assoit sur le bord de la table pour écouter la musique. Penchée au-dessus d'une épaule, elle sent dans son angle mort les yeux du garçon. Depuis le début de la soirée, ils jouent à ça. Tandis que l'étranger fumait sur le balcon, elle a demandé à Antoine qui c'était.

— Thomas, a-t-il répondu.

— Qu'est-ce qu'il fait là?

— C'est un ami de Victor. Ils font de l'escalade ensemble.

— Ah ouain.

Elle écoute *La Balade à Toronto* d'une oreille et, de l'autre, elle l'épie. Son oreille perçoit le changement d'harmonie lorsque Jean Leloup cède le micro à Dédé tandis que l'autre oreille continue de capter les vibrations de ce corps étranger qui cherche à se tailler une place dans sa conscience. L'iris écorche son épaule. L'œil du garçon se découpe. C'est une lame sur le reste de son visage pâle. Le velours, bleu métal, blesse dans son tranchant.

Olivier ouvre la porte du poêle pour ajouter encore quelques bûches. Les crépitements s'intensifient. L'hiver est redevenu un ami, à l'abri dans cette cabane bienveillante, qui souffle sur eux son haleine brûlante. Le frigo est encore plein. Les bouteilles s'entrechoquent lorsqu'on ouvre la porte. La cabane sent le poêle, sent le joint, sent les saucisses à hot-dogs. Les garçons ont aligné des canettes vides à une trentaine de mètres de distance du balcon. Ils chargent la carabine à plomb et alternent au tir. Les détonations font sursauter les filles. Lorsque quelqu'un atteint la cible, il faut lui donner une bière. Ils sortent tous pour se rouler dans la neige, sous l'œuf poché de la lune appétissante. Les flocons pleuvent sur leurs beaux visages béats d'ivresse et de froid. La jeunesse transpire d'eux. Leurs rires insouciants se heurtent contre la paroi de roc de la rive opposée. L'écho leur revient amplifié. Au contact de leurs peaux ardentes, les flocons se liquéfient. Ensemble, ils forment un immense tas de neige et entament l'ascension, repoussant sans pitié leurs adversaires dans la course vers le sommet. Des corps déboulent, d'autres s'agrippent vaillamment à l'ennemi, qu'ils emportent avec eux dans la chute. Le vainqueur est sans cesse détrôné par un nouveau tyran, le poing brandi en l'air et l'œil exalté par la victoire.

De retour à l'intérieur du chalet, tout le monde enlève ses habits trempés. Les peaux se juxtaposent. Les membres se confondent jusqu'à ne plus discerner qu'une vaste masse grouillante. La nudité a étrangement perdu toute consistance. Pendant quelques instants, il n'y a ni pudeur, ni sexualité, ni désir, ni gêne. Ce ne sont que des corps sans distinction, bras, jambes, seins, genoux, se frôlant à travers l'entrelacs de leurs angles. Ils se touchent sans se reconnaître, éprouvant le contact tendre de la peau d'un autre.

Elle sent la chaleur augmenter sous ses aisselles à chaque nouvelle gorgée de gin. Elle déteste le gin. L'âcre liqueur frotte contre les parois de sa gorge. L'alcool amollit les contours et fait ressurgir le centre des choses. Quelqu'un s'empare d'un pinceau dans un tiroir, trempe sa pointe fine dans la gouache mauve et esquisse un trait sur la poitrine de Nicolas. L'œuvre devient vite psychédélique. Des morceaux de charbon se transforment en fusain. Sur la grande toile de leurs corps aux reliefs mouvants, la peinture coule doucement.

Elle observe le garçon à la lueur d'une bougie qui macule la table de faisceaux de cire. Le bois est constellé de ces veines polychromes. Il n'y a que le corps de Thomas qui soit en partie dénudé. Les autres corps, elle ne les voit pas. Elle ne ressent pas leur présence comme la sienne. Le dos du garçon est couvert de sueur. Elle perle à la hauteur de sa nuque et roule sur les premières vertèbres de sa colonne vertébrale. Lorsqu'il bouge, on discerne les muscles qui rampent sous sa peau. Son corps obstrue la lumière, découpant une ombre qui pèse doucement sur les lattes usées du plancher. La forme obscure remue comme une extension de ses membres. Debout devant la porte-patio, à présent, il s'est emparé de sa veste à la recherche d'un paquet de cigarettes. Elle fixe la bosse qui se profile à travers son boxer. Elle sent ses propres joues s'embraser. Thomas farfouille dans les poches de sa veste sans trouver. Avant de s'incliner sous la force de la peur, elle se lève et va chercher son propre paquet pour le lui offrir. Il la regarde. Elle ne dit rien. Elle le trouve plus réel de près. Les taches de rousseur sur son nez, les sourcils hirsutes, les pores creusés par la chaleur, tout est plus existant, excitant, plus tactile. Elle pourrait le toucher. Elle sent l'odeur de sa sueur un peu piquante. Le vent qui entre par la fenêtre béante a déjà chassé les relents. Il sourit. Elle sourit. Elle pourrait se pencher sur son cou. Elle voit la pomme d'Adam boursoufler l'œsophage. Ils enfilent quelque chose. Ils sortent sur le balcon.

Dans la neige, les garçons ont esquissé des chefs-d'œuvre et rédigé des poèmes. L'art urinaire est souvent mal compris. Elle sent sa respiration sur sa joue lorsqu'il se penche pour allumer sa cigarette, protégeant l'allumette du vent avec sa main. Elle est incapable de lever les yeux pour croiser le fer bleu. Il expire la fumée par ses narines. L'euphorie de la réalité, calmement, se dilate dans son sang. Le ciel est d'une limpidité fracassante. Elle veut mordre dans chaque granule de cet instant pour ne rien perdre du goût.

La nuit avance. Chacun leur tour, ils s'endorment. Des matelas sont éparpillés sur le plancher. Dans un coffre en cèdre, il y a des couvertures de laine et des oreillers. Quelqu'un s'empare d'un recueil de poésie et récite solennellement les vers aériens. Elle écoute sans les comprendre ces sons qui s'imprègnent en elle comme dans la ouate. La voix de l'orateur devient immense. C'est une poésie de l'hiver. Une ode au froid d'ici. Elle sent le givre sur ses cordes vocales. Les bordées de neige, la vapeur des naseaux des bêtes, la solitude de l'oreiller sourd, en ce pèlerinage au cœur des sapins. Elle est liée à tous ses ancêtres, ces hommes et ces femmes qui ont traversé l'Atlantique à bord de vieux bateaux pourris, remplis de rats, pour venir gratter la terre d'ici avec leurs ongles gelés, ces filles du Roy et ces coureurs des bois réunis dans des chaumières en bois rond. Ses longs cils clignotent à la lisière de ses pupilles. L'âme qui l'habite est aussi dense que toute la forêt.

Antoine roule un dernier joint colossal. Elle n'a pas envie de dormir. Le ciel est à peine bleuté des premiers chuchotements de l'aurore. Accroupie devant la porte du poêle entrouverte, elle sent le souffle incandescent sur sa joue. L'air chaud découpe une forme brûlante sur sa peau, l'ombre d'une flamme. Lorsqu'il ne reste plus personne d'éveillé, elle s'étend en position fœtale sur un coin de matelas. L'alcool se fraie lentement un passage à travers ses tubes.

Elle sait qu'il est couché quelque part dans la même pièce. Dans la noirceur, elle tente de retrouver son visage qui se dérobe déjà. Elle veut faire ressurgir ses traits à travers la confusion de ses pensées, mais elle ne trouve qu'une forme grossière, impersonnelle. Ce pourrait être n'importe qui. Elle ne parvient à extraire du brouillard qu'un corps, résumé à cette géométrie physiologique rudimentaire que chacun connaît. L'imagination est l'arme la plus redoutable contre le souvenir. À travers le brouillard, la langue de Thomas l'effleure, s'immisce dans sa bouche, tiède, mouillée. Le goût de la bière y est resté imprégné. La rudesse de sa barbe ne lui fait pas mal. Il la regarde avec le sourire de tout à l'heure, remuant si lentement qu'elle ne sait plus s'il bouge.

Elle respire trop fort. Le sucre monte dans ses veines, comme l'érable entaillé libère sa sève goutte à goutte. Tous les tuyaux de son ventre se tordent. Elle s'étouffe dans l'oreiller.

Elle l'imagine, cherchant l'intérieur de sa cuisse, toujours avec cette lenteur exaspérante. Elle veut qu'il la touche. Son corps aboie. Son sang s'étrangle, sa peau halète, l'air coagulé coince dans ses globules. Le désir du garçon est si catégorique qu'il ne connaît pas l'horizontale. Elle sent son pénis contre son ventre. Le bout est mouillé à travers le tissu. Elle serre trop fort. Elle veut le mettre dans sa bouche. Elle veut presser ses lèvres autour du sexe gonflé. Dans son rêve éveillé, elle le fait, elle le goûte dans une réalité diffuse. Son mouvement de va-et-vient accélère puis ralentit. La salive coule un peu sur son menton. Son poignet imite le geste des lèvres autour du membre qui grossit encore, il ne s'arrête pas de grossir. Cette dureté l'excite. Elle voudrait qu'il durcisse toujours, jusqu'à ce qu'il n'y ait plus de place en elle pour contenir toute cette solidité. Elle adore sa texture. Le col dur qui l'entoure heurte l'intérieure de sa lèvre chaque fois qu'elle remonte. Le sexe glisse et sort parfois de sa bouche. Elle le rattrape lentement et parcourt toute sa forme en tenant les fesses du garçon à deux mains, par la fossette que le muscle a creusée, qui forme une poignée. Il est grand, debout face à elle. Toute sa virilité semble tenir dans ce sexe gorgé de sang à cet instant. Elle suit ses contours avec sa langue puis le garde là, sans bouger un instant, dans la chaleur de sa gorge. Thomas presse sa main, il lui fait presque mal, pétrissant ses doigts. Le plaisir du garçon lui revient en écho. Elle sent l'orgasme monter dans les vibrations du sexe et c'est dans son propre ventre que résonnent les spasmes. Elle le sort à regret de sa bouche mais ne desserre pas l'emprise de sa main. Il a chaud. La sueur suit sa colonne vertébrale jusqu'à ses fesses, qu'elle écrase l'une contre l'autre. Le désir enfle entre ses propres cuisses. Elle lève les yeux pour voir la jouissance trop violente crisper ses traits défigurés. La gorge du garçon produit des sons rauques. On dirait qu'il souffre. Elle le regarde et elle sent leur plaisir réciproque jaillir brutalement. Ensemble, ils expulsent la tension. La jouissance vient du dedans des os, au-delà de leur chair. Pendant quelques secondes, leurs corps n'existent plus.

Sa respiration cherche son rythme. Elle tremble. La soif déçue se replie sur elle-même. Elle se recroqueville dans son plaisir avorté. Elle sent encore la fureur de l'orgasme qui n'est pas venu. Elle sait qu'elle ne trouvera jamais le sommeil dans cet état. Elle se résigne à attendre le matin.

Elle entend un craquement. Quelqu'un s'est levé. Les pas approchent. Non, aucun corps ne se glisse auprès du sien. Aucune barbe n'écorche son cou. La proximité du fantasme est terriblement irritante. Elle sait qu'il est là, à quelques mètres d'elle. Elle sent l'empreinte de son corps dans l'air. Ses yeux rougeoient de désolation.

Elle demeure étendue jusqu'à ce que le soleil inonde toute la pièce. Les autres dorment toujours profondément. L'envie de pisser est trop forte. Ébouriffée de fatigue, elle se lève. Elle enfile ses bottes. Dehors, le ciel est doux, saturé, lisse comme de la crème. Le vent est vivant sur sa peau. On se croirait à l'automne, à cette heure qui succombe tranquillement à la lumière frisée du matin. Le bleu du ciel est dense. Elle observe le changement de couleurs, si rapide et si insaisissable qu'il suffit parfois d'un faux geste, d'une seconde d'inattention, pour manquer le spectacle. À chaque seconde, les lueurs prennent une teinte de plus en plus proche du jour. L'air est plus tendre, moins mordant. Les moindres opacités sont noyées, violées dans leur pudeur et exhibées au grand œil du matin, vivace et clair. Bientôt, le soleil, crâneur, monte au petit trot vers son heure de gloire. Elle s'accroupit et se soulage dans la blancheur immaculée.

Lorsqu'ils viennent au chalet durant l'été, elle se lève toujours la première pour faire un tour de canot. Elle observe la lumière fendre la surface lisse du lac, tel du ciment visqueux, encore frais, dans lequel des jeunes s'amusent à graver leurs initiales. Le bateau avance lentement sur la nappe de cuivre liquide, aux reflets d'ambre et d'argent. Il suffit de donner de temps à autre un coup de pagaie pour maintenir le cap sur la rive opposée. Il y a là une cabane abandonnée, posée entre la rive et la falaise. Le toit est enfoncé. Toutes sortes d'animaux ont trouvé refuge dans cet endroit jonché des restants de meubles que les rongeurs, la pluie et le vent ont grugés. Le triste état de l'ancienne demeure l'emplit chaque fois de la même nostalgie vive.

Elle fait quelques pas avant d'entendre sa voix.

— Tu vas où ?

Elle se retourne.

— Je vais marcher, répond-elle.

Sa rosette est hissée comme une antenne en direction des nuages. Il a dormi sur la joue gauche. Son haleine dessine des ovales de buée et ses yeux ont perdu leur dureté métallique. Leurs paupières bordées de cils blonds se déposent délicatement à chaque cillement. Ils sont lourds et mous, engourdis d'une fatigue que la nuit n'a pas su apaiser.

— Toi, qu'est-ce que tu fais ?

— J'étais réveillé et je t'ai entendue, dit-il.

— Je m'en allais en face. Il y a une cabane abandonnée. Il faut faire le tour du lac à pied.

Ils se taisent.

— Tu veux venir ? propose-t-elle.

Et il la suit.

Mylène Fortin

Toute une femme

Bon. Enfin. Ça y est pour vrai. C'est sûr, là. Le grand moment est imminent. Te rends-tu compte ? On va enfin se rencontrer ! La tisane de framboisier sauvage et le lavage des planchers, c'était pas suffisant. Alors on n'a pas eu le choix de te presser un petit peu plus, j'espère que tu seras pas trop fâché. Inquiète-toi pas, l'huile de ricin va bientôt faire effet et ça te fera pas bobo, à ce qu'il paraît. J'en reviens pas, on dirait que ça se peut pas. Imagine ! D'ici peu, je vais te prendre dans mes bras, je vais te tenir là, contre ma poitrine, et il y aura rien d'autre que ça. Ça va bien se passer, OK ? Je te jure que ça va bien aller, ça va couler de source, c'est évident. En plus, je suis certaine que tu vas te pointer vite comme l'éclair, mon coquin. On va bien faire ça, tous les deux. Ensemble. J'ai confiance en nous. Tu vas te sentir écrasé un petit peu, mais aie pas peur, fonce, plonge, laisse aller. Dis-toi que c'est un grand massage, un changement d'éclairage. Tu vas me rejoindre de l'autre bord en un rien de temps. Promis. Maman est là, mon chat-minou. Maman t'attend. Papa aussi. Il est blanc comme un gars qui regarde sa femme accoucher, mais il devrait tenir le coup. On est bien préparés. Tu vas voir, ça va être magnifique. Ça l'est déjà. C'est tout simple. C'est juste là, sur nos lèvres, sur le bout de nos langues. C'est une affaire de respiration, une communion. Le point culminant de nos vies sexuelles. C'est une histoire d'amour.

Là, maman s'apprête à décoller, OK? Cherche pas les douze mille hamsters surexcités qui ont farfouillé dans ma boîte à poux toute la journée. Je les ai envoyés voir de quel bord l'eau tourbillonne dans la toilette. Ouste, ouste! On s'envoie en l'air. On s'envole voir Peter Pan. C'est à peu près comme pour un dodo collé, tu vas voir. Sans censeur, sans pudeur, juste un cœur. Il faut pas que t'écoutes toutes mes niaiseries, là, par exemple. On accouche comme on fait l'amour. Ça risque d'être cochon! Bon. Prêt? Okidou. À tout de suite, mon petit poisson-chat. C'est parti, mon kiki!

Oreillers, fenêtre, fauteuil, sage-femme, homme que j'aime et qui m'aime, confort, ici, maintenant. Respiration spinale. Appel à l'amour. Oum! Appel à la vie. Oui!

×✳×

Depuis que t'es là, accroché à mes parois intimes et infinies, je n'ai plus le temps de penser, de pleurer, d'hésiter. J'aime. Chaque fraction de chaque seconde, chaque atome de chaque époque, j'aime. Je t'aime, toi. Tes coucous avec les pieds, tes vagues sous les côtes, tes hoquets l'après-midi. Mon corps a transformé la jouissance en vie, ta présence a éveillé quelque chose d'essentiellement intact. Toi en tout et tout en toi. On se métabolise en plein dans le mille, là où ça compte double, où ça décuple, où ça crée. T'as remarqué comme mes blessures, surtout les plus anciennes, me font t'aimer plus radicalement ? Avec toi, les espaces originels et bafoués s'affranchissent, mon cerveau joue de l'orgue électrique. Il n'y a pas d'emprise, pas plus là-bas que maintenant, mes influx s'assemblent, entrent en transe. J'incarne l'acceptation absolue. Rien que la peau, le bassin, mon sexe. Que le temps qui me traverse. Tu es l'Espagne et Barcelone, le corps du Christ. Le miracle nous guette, lové en moi comme un serpent qui redresse la tête et se faufile à nos trousses. Ah ! Ayoye ! *Oh my god !* C'est-tu vrai ? C'est-tu ça, là ? Bon, OK. Euh... Pas de panique. C'est ça. Euh... Rester connectée. C'est ça. C'est ça, mon corps. Contracte-toi. Contracte-toi bien. C'est bien. *Sésame, ouvre-toi !* Ouvre-toi, cœur, ouvre-toi, âme, ouvrez-vous, jambes.

Mon homme aime voir comment je m'y prends. Comment je m'y prends ? J'humecte délicatement mes doigts. Et ? J'écarte la fine dentelle de mon soutien-gorge bleu sombre. Et ? J'enduis mes mamelons de salive. Et ? Je titille gentiment mes pointes jusqu'à ce que ma vulve s'éveille. Et ? Je caresse délicatement mon clitoris à l'aide du majeur de ma main droite. Et ? J'enfonce deux doigts en appuyant légèrement contre mes parois intérieures. C'est ça, oui. Mes reins se creusent, ma poitrine s'offre. Comme ça. Je suis une poche de temps remplie de sable, un sac sans peurs ni sanglots. Une bouteille de nuit. J'aime ça comme ça. Ça sent bon le *sweetgrass*. Tchou, tchou. Tu entends ? Tchou, tchou, tchou, tchou. Tu joues dans mes oreilles, ta vie résonne contre mes os, tu gonfles le temps, je suis un ballon perdu au vent, coincé entre les branches d'un vieux saule. Ma peur est un train qui passe. Ne pas le prendre. Rester juste là, ici. C'est magique, c'est logique. Détendre le visage, les cuisses, les fesses. Accueillir. Repartir.

Le décalage horaire, l'été soudain, son hôtel. J'ai obtenu la clé de sa chambre, suis restée long-temps sous le jet généreux de la douche. J'ai juste eu le temps d'enfiler les talons hauts que je préfère, mes souliers de caractère, ceux dans lesquels j'ai interprété Antigone quand j'étudiais à l'École de théâtre. Ses pas feutrés parcourent le couloir. Je me tiens bien, là, au centre de moi, au cœur de ma féminité. J'ouvre la porte. Mon sexe syntonise illico l'odeur de son savon, son air salace quand il s'immobilise, le temps que la porte claque derrière lui. Il plonge dans mon cou, trop d'oxygène, mes petits seins se dressent. Il agrippe mes fesses, ses doigts sondent délicatement l'espace humide qui s'embrase entre mes cuisses, la boucle de sa ceinture est froide contre mon ventre. Comme il fait bon fondre sous ses grandes paumes, contre sa chemise de qualité! Je meurs d'envie de l'embrasser, de perdre mon âge dans son haleine de fenouil. Il est si vrai, si présent! *Tu m'as manqué.* Ses yeux brillants comprennent tout. Invariablement. *T'es trop belle, je pense juste à toi, à ta peau, je te veux tellement tout le temps.* Il pose l'index dans le ruisseau de mes larmes, moins pour en arrêter le flot que pour en mesurer la portée. *Je m'ennuie trop, mon chéri, elles sont don' bien longues, tes tournées!* Est-ce qu'il sait? Est-ce qu'il sait avec son regard immense, ses yeux télépathiques? A-t-il compris comme il soulève le rideau, révèle mes accès, les pans fondamentaux du Verbe? Veut-il seulement comprendre? Bientôt, sa langue réactualise mes circuits synaptiques, décuple mes facultés, l'ego s'efface. Mes sens ne connaissent ni ombre, ni faille, ni repos. Comment elle fait, sa main si chaude, pour créer tant d'émoi? Comment elle fait pour éveiller mes moindres pores, me faire jouir juste en caressant le bout de mon sein? Elle est magique? *Avoue, grand fou, avoue que t'es miraculeux! Vas-y! C'est bon! T'es tellement douce! Crisse que j't'aime!* Sa voix m'élève, m'affole, m'apaise. Il me prend au complet, avec mes pièces manquantes ou raccommodées, les marques de mes histoires usées. Près de lui, je suis omnipuissante, une femme qu'on culbute sur un autel. Il est mon tendre, mon homme. Ses gestes d'interprète me transforment en molécule d'hydrogène, j'explose sous ses membres solides et souples. Au creux de ses mains, avec sa bouche, sa salive, je perds ma vigilance : une partie de moi voudrait qu'il me garde à jamais. Mais je sais. Il s'agit d'un instinct stérile, personne n'échappe à la mort. AÏE ! C'est moi ou il fait vraiment chaud ? AÏÏÏE ! Ça recommence. C'est reparti, let's go, ti-loup. Ouf ! J'ai bien trop chaud, je suis en train de cuire, j'y arriverai pas. Oh, non ! Désolée. Oublie ça. J'ai rien dit. C'est pas vrai. Je vais y arriver. Je suis capable, suis capable, capable. Je. Peux. Le. Faire. Plus la douleur va être intense, plus le moment de te serrer va approcher. Laisse-toi guider, aie foi en la nature, en nous, en moi. Ça va. Retourner, me · retrouver. En Espagne, en amour.

Parmi les vapeurs touffues du sauna, je devine à peine sa silhouette oblongue, je suis tellement déshydratée, tellement moite, que ma peau boit sa vie par les pores, je suis un poisson océan clair. Je suis fondue au chocolat. Son corps de bûcheron urbain juste assez fier, je le connais par cœur. Il est tatoué dans mon crâne, buriné au creux de mon ventre. Je suis bien. Épilation complète, manucure et pédicure, je me sens sexy. *Ostie que t'es belle.* La serviette aseptisée archi-moelleuse sur les planches ambrées, ma langue frôle la fibre soyeuse de son sexe franchement tendu, ses palpitations dans ma bouche, son goût subtil, fertile. Les petites lèvres de ma vulve s'impatientent. C'est trop merveilleux de le sucer, je m'approprie son génie. Mes fesses se tortillent subtilement. On dirait qu'elles sont mues par une force suprahumaine. Les pointes de mes seins s'animent d'une pulsation. *Crisse, c'est fou, je te veux! Tu sens trop bon!* Mon sexe s'ouvre. Cette érection est pour moi. Qu'il se plante en moi, que nos corps s'entre-dévorent. Oh! OUCH! CÂLISSE! OK. OK, OK. C'est correct. OK. C'est normal, ça travaille. OK. Confiance, confiance, confiance! Ça. Se. Passe. Bien. Voilà.

On pense que le désir se nourrit de détente, de temps pour soi, de soupers au restaurant. C'est faux. Il se vautre comme une faucheuse dans l'angle mort de la conscience, il naît en zone de turbulence, entre Montréal et Barcelone, entre Baton Rouge et Matane. Le désir a besoin d'une dose de peur. J'ai eu peur durant le vol. Pas peur de mourir. Pas vraiment, non. Ma grande crainte concernait l'impression de ne pas avoir su m'épa-nouir, que ma vie ne valait pas grand-chose ou rien de réellement authentique. Une dame livide fermait les yeux en portant ses mains osseuses au petit chapelet pendu à son cou. À cette altitude, on a des chances de s'en sortir, il y a la mer en bas. AHHH! Là, tu jases! ASTI! OK! Je suis bonne-bonne-bonne-bonne. OUUUMMM!

Il faut savoir, oui. L'esprit. Le désir. Il est trop immense, cruellement fugace. Il tiendra pas dans ma valise, c'est évident. C'est tellement différent depuis qu'on est une famille, depuis que ton papa a adopté ma Gaspésie. Heureusement, on est là. Pas partis. Ensemble. Je suis ici. Présente. Ubi-quiste. Tellement que l'Éternité sort de l'ombre et nous toise. Elle arpente la pièce avec sa huche d'âmes à naître, prête à poser son point rose sur l'*i* de la vie. Ça sent bon le cèdre et la terre fraîche, ça sent l'Europe et la blanchisserie, les Pampers et les œillets. Je suis *sa p'tite crisse,* il est *mon gros tabarnak.* On s'adore. Des tourne-disques flanqués d'une demi-douzaine d'aiguilles, six chansons à l'unisson, dans tous les sens, harmonies sur ma peau, pupilles et papilles, dans mon lit. On a cent ans et ces mots-là. Ces mots-là sur nos jeunes langues. L'espoir et le sucre d'orge. Toi, tu. Aspires à renaître. Renais. Moi, je. Parle aux dauphins. Ma peau s'arrache, mon cerveau *shake and bake.* OH! AH! CÂLISSE! Çavabiençavabiençavabiençavavavavavavava. Vagin. Vague. Nacelle. Inspirer. Là. Oui.

J'ai du mascara sur les doigts, plein les mains, jusque dans le cou. Pourtant vivre, pourtant aujourd'hui, pourtant tes pieds, tes mains, ton ventre doux. C'est bon, naturel. Oui, ici. Ici! Je suis ici, je reste ici. C'est sacré. Sacrément bon. Je prends pas le train.

J'en peux plus que l'amour oscille entre mon psy et la peur. C'est pour ça que j'enlève des couches et des couches et des couches. Pour moi, pour toi, pour ça. Je suis fière, heureuse de la Mylène construite que je deviens au fil des ans, à force de livres cornés, de post-it jaunes, roses, verts, à grands coups de vie. Expirer.

Je t'aime comme je respire, je respire pour nous trouver, nous inventer. Laisser tout. Laisser tout nous inventer. Beaucoup plus nue que nue.

Belle, centrée, rose. Une nudité absolue. Sans linge et sans doute. Qu'un sexe offert à l'instant lumineux. Hanches, fesses, pulpe. Me célébrer. Velours, gland, cavalière tout en cheveux et en sueur.

Temps.

Mon savoir inné.

Temps.

Ferme les yeux.

Temps.

Inspirer.

Voilà.

C'est ça.

Nous serons les montagnes, OK ? Nous serons les astres et les constellations. Des bombes de vie, OK ? Des bombes de vie sacrées à l'eau, des bouteilles en éclats de mots. Expirer, expirer, expirer. Tout en instinct, plus rien d'acquis, rien d'appris. On se fout de ce qui se trame, tout plane au-delà de nos corps, on s'aime à la verticale du monde, des guerres et du printemps. AHH ! Non, j'y arriverai... Pas. Un pas à la fois. OK. Le temps est venu de. OUM ! Voyager. OUM. Encore. OUM. Immédiatement. OUM. Sans médiation. OUM. Là. Loin. BARCELONE !

Les femmes profitent de la plage. Exacerbées. Toutes simples. C'est ça. C'est bon, ça. Sans honte et sans provocation. Contentes et sûres. Entières. Cuisses élancées, fesses hautes, seins magnifiques. Inspirer. C'est beau, c'est libre. Expirer. Les adolescentes couinent, gloussent, pépient. On apprend à vivre. On imagine la fin du monde en trempant son pain dans l'huile d'olive. Ça s'extasie, ça brille, ça conceptualise. C'est clair. Tant de seins, uniques et beaux, tous plus fragiles les uns que les autres. Les mamelons aux aréoles claires, gorgées de promesses et d'illusions, appellent l'intelligence de l'Univers. On sent dans l'air un grand art qui opère. Ça se passe entre les femmes et la vie. Une brise suave se lève soudain. Je saisis le lien étroit, invisible et concret, qui renouvelle les perceptions. AHH! Ça recommence.

Je suis si fatiguée, s'il vous plaît, je suis trop volatile, je voudrais mourir maintenant, j'ai pas peur. Si la peur passe, elle ne nous verra pas. Plus jamais, OK? On va combattre tous les zombis, OK? Tu seras le capitaine Crochet, tu m'agripperas par le cou et je te suivrai dans ton lit, je serai mitraillée entre la chambre et la cuisine et du salon au passage, je m'étalerai de tout mon long près de l'escalier et ce sera comme si. Tu auras le hoquet tellement tu riras, je ferai semblant de trouver ça dégueulasse, tes camions dans le linge sale, l'odeur de tes pieds, tes gros becs mouillés. Ark! que je crierai par-dessus tes rires de petit prince. Ahhh! Ça continue, j'en peux plus, je veux maman, ma maman d'amour. MAMAN! J'AI MAL! Mal. D'amour. L'amour et la douleur. Les deux choses les plus vraies que je connaisse : je t'aime, j'ai mal, j'existe! OK, je repars. BARCELONE!

Celle-là, avec ses petits seins sportifs aux jolis mamelons brun pâle, doit avoir tout juste la trentaine. Ses orteils corail s'enfouissent comme des coquillages dans le sable d'or. Une ivresse flambant neuve effleure sa fourche, son mono-kini. Ça l'excite de se retrouver à moitié nue avec son équipe improvisée de volleyball. Soudain, tout s'arrête, la scène se fige. Un calme immense embrasse le décor, ondes hautes où errent les fan-tômes. Me fondre. Confondre temps et instant, transcender les lois de la raison pure. Évoluer avec humilité et confiance. Ici. Là. Elle se couche dans le sable, part à son tour, glisse sa main entre ses jambes. Les regards posés sur elle sont envoû-tants. Son doigt écarte le tissu rouge profond afin d'offrir sa jolie petite vulve à la Méditerranée, au soleil pénétrant, à sa fragilité de femme. Elle pour-rait être moi et vice-versa. Son sexe apprivoise d'emblée les rayons chauds. Ça sent les vacances, le gin tonic et la crème solaire sucrée. Dans un geste sans rides et sans fard, je fais glisser mon maillot sur mes hanches. Le tissu chatouille mes cuisses, mes mollets, mes chevilles. L'air chaud contre la chair délicate de mon sexe devient plus frais à mesure que je mouille. AH!

AH! Je suis pas... Pas capable de détendre mes cuisses! Tamiser davantage mon mental. Relâcher la mâchoire, le périnée. Accueillir. Oui!

J'avance dans la mer, une mer d'huile tiède du sexe au cœur, l'eau d'un bain chaud, un courant élé-mentaire, l'air et le feu me traversent. Mes cheveux ondulent, on dirait des anémones parmi mille bulles. Mes larmes, ma course folle, ma préhistoire.

Il y aura toujours une enfant au fond de moi, une part d'éternel, la fin, un premier pas, un cri d'à peine née. Une van me roule sur le dos, je suis anéantie, crevée, je brûle dans un spoutnik en fusion, la journée est passée dans le tordeur, ça suffit, achevez-moi, désactivez mes souvenirs les plus chers, prenez mes élans, prenez tout. Prenez mon corps, solidement, qu'on révèle des espaces inouïs, qu'on me désorganise, qu'on me l'enfonce bien profond. Oui. Ici. Loin. C'est ça ! C'est en plein ça, en plein là ! C'est parfait ! AHHH ! Mon ventre, ma tête, mon ventre. Souffler. AH ! OUMMM.

On n'est pas des humains vivant une expérience spirituelle mais des êtres spirituels en plein essai terrestre. Certains diraient : « Elle porte un enfant », mais toi, tu sais. On sait. C'est toi qui me portes. Comme tous les enfants portent toutes les mères. Tu provoques la méditation infinie des sens, tu incarnes la présence d'un profond mystère. On laisse le silence nous prendre. Ça fait partie de la vie, de la mort. Tu es mon guerrier, ma lumière, mon électron libre. Tu es ma poussière d'étoile, l'humanité tout entière, mon grand collisionneur de particules. Tu es mon petit boson, ma molécule de dieu. Tout porte une mémoire. Ne l'oublie jamais. Ta jolie tête sentira chez nous. Je l'embrasserai, larmes aux yeux, sourire au ventre. Promis juré. Juré craché, mon petit miracle. Nos bonheurs partagés, notre communication instantanée, notre intrication quantique. Nos amours télescopiques. Tu seras ma démesure pure, mon éternel présent, ma dignité. Je suis un animal. Rien n'est plus savant. Je sais à quatre pattes. Je décongèle, j'ai chaud, je n'ai plus de sang. Je.

Mon corps ne demande rien. Qu'on lui foute la paix, qu'on le laisse se désarticuler, s'écarteler vif. Qu'on le laisse décider ou pas, il décidera de toute manière. C'est lui, le grand chef. Tu sais pas mais bientôt tu sauras, tu seras. Tu détiens le plus précieux des secrets. Mon ventre a accepté ton cœur grandiose. Je n'habiterai plus que cette pulsation où la réconciliation des contraires est un état stable, pur et beau. À jamais. Le ciel sous terre, les jambes ouvertes, mon ventre offert à toi, pour toujours. *Crisse que je te veux!* Je te veux tellement! AHHH! Ostie de câlisse de tabarnak d'hostie de crisse, promis, dieu, câlisse, je vais plus jamais douter mais ostie, aidez-moi, je suis prête à perdre mes cheveux, mes dents, je peux me lancer par la fenêtre drette là, tabarnak! Oh, je sais, j'ai promis, j'ai. Je vais. Y. Arriver. On. Va. Y. Arriver. Bébé.

Penser aux vêtements qui virevoltent, qui valdinguent comme des vies décomptées. M'imprégner de ce désir-là. Au centre de la scène, une brute fougueuse est habillée de cette lumière fabuleuse qu'on voit juste au théâtre. Mon homme nu sous un éclairage blanc doux. Ton papa. Si beau à Barcelone, si plein. Libre et fier de lui, fier de porter mes sacs, de m'aimer, de me faire hurler de plaisir. Une demi-douzaine de danseuses entrent en scène, elles portent des robes translucides. Les tissus diaphanes laissent deviner leurs toisons, leurs mamelons. Elles descendent de leurs talons aiguilles, certaines ont pris du soleil, leurs pieds agiles portent les marques en *V* de leurs tongs. Leur beauté est naturelle, bien campée, leur aplomb embellit les singularités, me donne le droit d'être femme. Outrageusement, simplement. Femme déchirée, femme désirante. Profanatoire et magnifique.

À l'orée des projecteurs, la foule des spectateurs retient son souffle. Le spectacle transgresse, happe, renverse. C'est moi qui entre en scène, grimpée sur des escarpins de velours noir. En tombant sur le sol, le tissu vaporeux de ma nuisette caresse mon léger coup de soleil. La lumière glisse sur mes jambes, sur les poils clairs qui me couronnent l'entrejambe. AH! Je pense que. Je pense que je te sens! OH! OHHH! OUI! OUIII!

Je te sens, mon bébé, t'es juste là, c'est ta tête, là, que mes doigts atteignent au fond de mon vagin? C'est ta vie? Ta vie juste là! OUAH! RES-PI-RER! Respirer. Pour toi, pour les artistes sacrifiés, les globe-trotters, les poumons de Dave St-Pierre. Mon corps sait comment faire. Je le sens, ça y est. Je vais me briser. La femme que j'ai toujours cru protéger va se fracasser et c'est parfait. Voilà. J'ai compris. Être femme, c'est pas ajouter mais enlever. Dégager les rouages du désir, combler les besoins, créer un espace nourrissant. Inspirer. OUMMM! Te guider vers la lumière en toi, celle qui te révélera à toi-même, à ta mission terrestre.

Ton étendue de paix. Celle qui libère l'énergie vitale, essentielle, intelligente, bonne. Tout simplement toi. Mon fils, fils de l'amour que la vie me confie. Je suis une perle. Le plus beau des présents. Ici, maintenant. OH! AOUMMM! AHHH! AHHH! MAMAAANNN!!!

Ça.

Oh! Ça.

Ça y est.

Il.

Tu.

Toi.

Tu es là.

C'est toi, mon bébé, mon fils. Mon fils. T'es mon fils! Fils! Tu viens de ressusciter un mot : *fils*. Que ce mot est beau!

Bienvenue. Bienvenue sur la Terre, petite âme. Tu es don' bien un magnifique trésor, petit être! Mon fils!

Aie pas peur, je vais très bien. Je suis pas triste, non. C'est juste que. C'est juste trop, j'en reviens juste pas, c'est parce que t'es, t'es bien trop beau, t'es bien trop merveilleux.

Ah? Tu veux t'exprimer? C'est ça, dis-le, crie, crie, mon petit chéri. C'est à ton tour. Ranime d'un coup tous les mots que je connais et même ceux que j'ai oubliés depuis belle lurette. Dis-nous d'où tu viens, raconte ce que tu as souffert, ceux que tu as quittés. Maman reste là. Ta maman est très, très fière de toi, ti-coco d'amour. Ton papa aussi. Tu restes avec tes parents, mon amour.

Toujours. Tu regretteras pas ton choix de famille. Promis. Ton papa est magnifique. Et ta maman est toute une femme.

Toute une femme.

Simon Boulerice

Danse poteau

La séduction amoureuse, c'est 10 % de ce qu'on a
et 90 % de ce que les autres croient qu'on a.
Sophia Loren

Simon travaille à la radio d'État depuis quelques années.

Un soir d'Halloween, invité à venir parler de son plus récent recueil de poésie à une émission littéraire sur la Première Chaîne, il s'est présenté dans un attachant costume fait maison. L'animal personnifié à l'aide de tissu et de feutrine était difficilement identifiable, mais cette ambiguïté a charmé l'animatrice. « Un déguisement pour la radio ! » a t-elle alors lancé, séduite.

Dès la semaine suivante, on lui a offert une chronique à la hauteur de sa crédibilité intellectuelle : la critique de livres pratiques. Depuis, chaque mois, il doit lire un guide (sur le bricolage, les tours de magie, l'art du tarot, la gestion du temps, l'interprétation de dessins d'enfants, l'écriture de haïkus, la croissance personnelle...) et l'appliquer dans sa vie. Trois années de lectures utiles ne l'ont en rien solidifié. Simon procède toujours, dans la vie, de manière artisanale et approximative. Il cuisine à peine – que pour sa survivance –, il ne conduit pas – un permis de conduire n'est pas dans ses projets de longue durée, car il tient à la vie – et il ne sait pas précisément ce qu'il faudrait acheter pour se mettre à faire du thé. Il ne se rappelle jamais comment faire une capture d'écran sur son MacBook Pro et il n'a jamais réussi à envoyer une vidéo à partir de son iPhone. Il ignorait qu'il faut vider la corbeille virtuelle de son ordi, faute de quoi l'appareil accuse une accablante lenteur. Quand un ami le lui a appris, il a mis en suspens toutes ses velléités de s'acheter un nouveau *laptop*. Non, vraiment, Simon n'est pas un être pratique, prévoyant ou préparé. Il suffit d'ouvrir son congélateur pour voir concrètement ses inaptitudes, car son pauvre électroménager contient essentiellement des choses non comestibles : un sac magique, une boîte de bicarbonate de soude Arm & Hammer, trois Ice-Pak antibactériens, huit piles (certaines mortes, d'autres pas, mais comment savoir lesquelles ?) et neuf bananes noires (récupérées avant les vidanges, au cas où il serait touché par la grâce et par le désir de cuisiner son premier gâteau, un jour...). *Un congélateur vide, c'est une absence de projets.* Où a-t-il bien pu lire cette phrase stupide ? Dans un des guides pratiques, probablement.

En tout, Simon a testé une trentaine de livres pratiques. Il gère pourtant sa vie à la va-commeje-te-pousse. Les guides qu'il a dû résumer mensuellement à la radio ne l'ont guère propulsé plus loin que dans une zone d'humour. Son plaisir, dans ses chroniques, consiste à relever les propositions surprenantes, parfois incongrues, sans verser dans la méchanceté. Simon a l'ironie douce. Il se moque avec tendresse de ces lectures. Il fait de l'humour de surface. « C'est candide mais intelligent », prétend l'animatrice. Simon ne fait que son travail : tenter – généralement en vain – de mettre en application les guides qu'on lui impose. Nul besoin de creuser : on voit bien que Simon n'est pas habile pour se plier aux protocoles, pour décoder la marche à suivre.

Ce soir, c'est le party de fin de saison de l'émission littéraire. La fête bat toujours son plein chez l'animatrice, hôtesse généreuse, point névralgique de toute joie. Cette femme sait s'entourer. Elle a quelque chose de la reine et ça butine fort autour d'elle : comédiens ultra-médiatisés, acteurs de théâtre talentueux au succès anonyme, musiciens d'avant-garde, auteurs de premier ordre, professeurs d'université, journalistes culturels en paix avec leur métier, chroniqueurs émérites (ou chroniqueurs du dimanche, comme Simon). Tout ce beau monde festoie dans une collégialité souveraine, sans hiérarchie aucune. L'appartement de l'animatrice est configuré pour que les rassemblements soient heureux. Ici, les rires résonnent librement, l'allégresse est à aire ouverte.

Depuis quelques partys, Simon prévoit le coup : il sait que la musique y est bonne et que l'espace y est considérable pour danser. Il a mutilé trop de pantalons peu extensibles à la fourche, il a saccagé trop de genoux de tissu. Il apporte maintenant un short – à la fois ajusté et élastique – dans son sac. Au moment propice, quand la chanson est trop entraînante (un *hit* de Beyoncé ou de Rihanna, généralement), il troque son pantalon pour le petit short qui stoppe très tôt sur ses cuisses et qui met ses quadriceps en exergue. C'est sa manière de chercher à séduire les intellectuels bi-curieux.

Ce soir, dans le lot à charmer, un apprenti recherchiste beau comme un cœur. Simon se donne le mandat de captiver son regard grâce à ses simagrées en tenue légère, même si le jeune recherchiste doit se situer à 0 ou à 1 sur l'échelle de Kinsey, celle qui sert à évaluer l'orientation sexuelle des gens, 0 étant exclusivement hétérosexuel, 3 étant parfaitement bisexuel sans préférence aucune et 6 étant absolument homosexuel. Les autres sont ceux qui éprouvent des désirs en demi-teintes, avec plus de nuances que Simon, un vrai de vrai 6 pétant d'homosexualité, lui. Naturellement, séduire un 1 (prédominance hétérosexuelle, expérience homosexuelle) est tout un défi. Mais Simon aime les défis.

Dans le vaste condo, une colonne baroque s'érige à mi-chemin entre le salon et la salle à manger. C'est autour d'elle que s'orchestrera la dépravation de Simon. En effet, le chroniqueur s'est découvert une passion pour ce qu'il croit être de la danse poteau. C'est de la réappropriation à partir de ce qu'il a pu grappiller à la télé, qu'il regarde depuis l'enfance. Il est de la génération MusiquePlus, celle où les jeunes patientaient des heures devant l'écran en espérant voir leur vidéoclip favori. Celui de Simon était *Human Nature* de Madonna, où la chanteuse s'échine dans une combinaison noire et moulante de femme-chat, contrainte dans un cube exigu. Tout le félin en Simon, il l'a d'abord subtilisé à la Madone en s'adonnant à du sado-maso de grande surface.

Son inspiration pour le déboîtement érotique du corps se trouve maintenant d'un seul clic. Simon reproduit spontanément des mouvements ramassés çà et là dans les vidéoclips qu'il regarde sur YouTube avant le dodo. Les nouvelles venues de la pop du tournant des années 2000 – Britney, Christina, Shakira, Beyoncé et Rihanna toutes devant – ont laissé une empreinte sur sa mythologie de la séduction, voire sur les possibilités de ses articulations. Il a tout emmagasiné mais n'a pas souvent l'occasion de s'exercer, son appartement étant exigu comme un cube de *Human Nature*. Ici, chez l'animatrice, il a de l'espace. Au contact de cette colonne magique, la lubricité lui sort des hanches. Simon s'agite autour du poteau galbé en plâtre. Il fait tout un travail charnel d'appuis, de déhanchements, de grands battements, de chutes retenues *in extremis*, de ralentis fluides ou saccadés. Il varie les rythmes, les angles et les hauteurs. Tantôt il se hisse, tantôt il fait le pont, tantôt il rampe au sol, véritable exploit, sans jamais lâcher la colonne. Par moments, on croit voir un segment de *Genie In A Bottle* ou de *Beautiful Liar*; par d'autres, on reconnaît clairement un mouvement usurpé en toute impunité dans *Single Ladies*. Pas une seule fois ses hanches ne mentent. Il est dans un abandon total. Il ignore ce qu'est la retenue. Son corps ne sait dire que sa vérité. C'est tour à tour suave, généreux et troublant de précision.

Les chanteuses lascives perturbent son identité sexuelle, brouillent ses appartenances.

L'alcool y est pour quelque chose. Un flamboyant poète lui concocte des *Cuba libre* à la chaîne. Son passé de barman aidant, il prétend connaître le dosage parfait de rhum et de Coke. L'alcool ambré comme du sirop d'érable émancipe Simon. Ça le libère d'une censure déjà fragile. Il se dit que les écrivains sérieux autour de lui vont le mépriser férocement dans tout ce laisser-aller du corps, mais quand *Toxic*, de Britney, empoisonne délicieusement l'air, il est impossible que le rythme ne se jette pas dans son bassin. Pourtant, les auteurs réfléchis ne le méprisent pas tout à fait. Ils sortent leur iPhone et capturent cette danse décomplexée au moyen de photos et de vidéos. Demain, sur Facebook, les *likes* se récolteront à la pelle.

Au détour d'une danse particulièrement luxuriante autour de la colonne, devant un journaliste culturel qui tète son shooter de vodka, Simon philosophe : « Sérieux, j'ai pas de problème avec l'idée qu'on me viole, du moment que ça se fait dans un lit. Le mien, idéalement. Moi là, avoir des branchages qui me grafignent toute le dos parce qu'on me viole dans une forêt, très peu pour moi. D'accord pour le viol, à condition que ça se pratique dans un certain confort. » La succession de *Cuba libre* rend ses propos plus subversifs. Il ne souhaite que faire jaillir le rire des convives en attendant de faire jaillir leur désir, qui monte certainement en eux. Et pourtant, il ne ment pas totalement : il croit à ce moment-là qu'un viol douillet, ça l'exciterait.

Mais petit à petit, Simon devine que son envoûtement manque d'élégance.

Comment procède-t-on pour charmer la galerie ? Pour sa dernière chronique de la saison, il vient tout juste de lire *L'Art facile de la séduction* de Carole Chamberland, publication récente mais surannée, parfumée à la naphtaline. Il a stocké dans sa mémoire des techniques hétéro-normatives désespérantes. Chamberland aurait écrit ce livre pour réhabiliter la séduction en voie d'extinction au Québec depuis la montée du féminisme, depuis la conception de l'égalité hommes-femmes.

Simon se rappelle les six étapes de la séduction, établies par des anthropologues pertinents et des psychologues compétents :

1. Attirer l'attention en affichant un sourire naturel et invitant (Simon ne fait que ça).

2. Croiser le regard de la personne qui nous enchante pour y lire (ou non) une attirance mutuelle (Simon dévisage tous les hommes sans décoder quoi que ce soit).

3. Entamer la conversation par une phrase-contact de choix en évitant les clichés du genre : « Heille, on se serait pas déjà vus quelque part ? » (Simon croit que la musique est l'art le plus rassembleur, alors il juge pertinent de crier : « C'est tellement la meilleure toune au monde pour danser ! Tu trouves pas, non ? »)

4. Enchaîner avec un premier contact physique, tel un effleurement (Simon n'effleure pas ; il se pend littéralement aux bras des comédiens connus – et daigne même tâter ceux d'acteurs au talent inexploité –, masse des épaules tendues de journalistes inflexibles et passe ses doigts dans les chevelures pleines de pommade des chroniqueurs culturels).

5. Consolider le lien en reproduisant les mêmes mouvements que la personne qui nous intéresse. On parle ici de mimétisme ou de synchronisme corporel. C'est parfait pour établir une complicité (malheureusement, personne ne reproduit les torsions de Simon, qui se résout à créer sa danse de l'amour concupiscent en solo).

6. Faire finalement montre de notre entraide et user de notre humour pour officialiser la séduction (Simon essaie de toutes ses forces).

Le chroniqueur poursuit sa danse colonne, ne trouvant rien de mieux que cette chorégraphie

païenne pour mettre un terme à son éternel célibat. Son ballet sert d'appât, d'ailleurs tout son
corps se tortille comme un poisson, tous ses
membres – arqués avec une certaine grâce – se
prennent pour des hameçons. Simon a un passé de
danseur classique. Quatre ans à acquérir un voca-
bulaire physique. Ici, il oublie la technique, mais la
mémoire corporelle se fait aller avec une nonchalance louable.

Demain, il le sait, Simon se lèvera les bras et les
jambes couverts de bleus. Ce sont les aspérités de
la colonne baroque qui l'ensemencent discrètement de futures ecchymoses. Et il y aura les douleurs invisibles : son corps de nouveau trentenaire
ankylosé. Il élève sa voix nasillarde au-dessus de la
musique. La soûlerie lui fait faire de terribles
calembours : « Ma luxure va me donner une luxa-
tion du bassin ! » Et on rit pour l'encourager dans
sa déliquescence.

Le problème est là : on observe Simon avec la
même tendresse amusée que des parents aimants
qui regardent leur progéniture glisser en riant
dans l'aire de jeu d'un McDonald's. Cette colonne,
c'est le point central de l'aire ludique de l'appartement, et Simon se déhanche de manière gentiment pornographique sur une musique de *junk
food*. Par moments, après une *split* par exemple,
on l'applaudit comme s'il était un enfant ayant
accompli une prouesse inoffensive. Mais Simon
veut de la salive et des érections. Pas des cris de
parents divertis. Il veut qu'on le plaque, ventre et

joue contre la colonne, peu importe les héma- tomes que la brutalité causera. Qu'on lui attache les mains, aussi, pourquoi pas ? Pas avec des *tie- wraps*. Quand même pas. Un linge à vaisselle ferait l'affaire. Oui, il veut être ligoté serré, dans les limites du tolérable. Ligoté en je-peux-me- déprendre-quand-je-veux. Il veut aimanter tout le monde avec la chute louable de ses reins. Il veut que de grandes mains butinent son popotin, que des haleines caressent sa nuque. Il veut s'offrir, les fesses sculptées par la danse à la merci d'un amant gourmand. Un érudit grivois, idéalement. Ce sont toujours les plus intéressants.

Un intellectuel disserte : « Une fille qui danse comme ça, ça manque de classe, mais un gai, c'est vraiment drôle. Arrête pas, mon gars ! » Et Simon continue en souriant, repoussant son premier lumbago d'une décennie seulement. Mais ce « deux poids, deux mesures » le désespère. Son homosexualité le sauve de la vulgarité et ça le fâche. Il ne veut pas être un divertissement ; il veut être vulgaire. La fille vulgaire se ramasse tou- jours quelqu'un, en dépit de tout. Le gars divertis- sant qui pastiche des mouvements de fond d'iso- loir rentre toujours seul.

Mais Simon s'est promis de ne pas rentrer seul, alors il met le paquet pour qu'on le remarque. Pourtant, les regards se détournent. Le recher- chiste stagiaire beau comme un cœur se coupe un doigt avec son verre de bière. La vue du sang au sol étourdit Simon, qui se retient à sa colonne baroque. Il va vomir ou s'évanouir si on ne fait rien avec cette petite hémorragie. L'animatrice intervient, heureusement. Elle sort d'une trousse de premiers soins des pansements et des diachylons. Un prof de philo (un bon 5 sur l'échelle de Kinsey) vient aussi offrir son aide pendant que Simon pousse des gémissements comme si les saignements étaient les siens. On nettoie le sang, sur la plaie comme au sol. Tout rentre dans l'ordre. Simon peut reprendre ses grivoiseries corporelles. Il redevient un pivot, un axe où convergent les regards blasés par la conversation. Mais ça ne dure pas.

En cinq minutes, le stagiaire – doigt bandé – se retrouve sur la piste de danse en train d'embrasser le prof de philo. Ce n'était peut-être pas un 0 ou un 1 sur l'échelle de Kinsey, finalement. Simon soupire. S'il n'avait pas peur du sang à ce point, s'il s'était montré sûr de lui et outillé pour aider son prochain, s'il s'était rappelé le guide de premiers soins surtout, peut-être que c'est lui qui aurait eu droit aux mains du stagiaire sur ses fesses. Simon est témoin d'un amour naissant. Deux hommes habiles pour les choses de la vie, qui ont su se charmer dans les règles de l'art, grâce à l'entraide et à l'humour, sans doute.

Simon n'a plus trop envie de danser. Ses déhanchements sont stériles. Il regarde avec jalousie les nouveaux tourtereaux s'entredévorer de désir sur *Dancing On My Own*. Tu l'as dit, Robyn.

Le chroniqueur de livres pratiques se sent résolument à l'extérieur de la vie.

Il sera bientôt 4 h. Dans son short peut-être pas si affriolant que ça, Simon se cherche un amant pour le restant de la nuit. Et si seulement ça pouvait s'échelonner. Et si l'amant pouvait s'installer chez lui pour la semaine, voire plus. Un mois, une saison, un an. Tout est possible. Après tout, sa vie entière est vacante. Voilà : il danse dans le but d'appâter quelqu'un qui l'aidera à remplir son congélateur. Quelqu'un qui lui bottera les fesses pour confectionner son premier gâteau aux bananes noires.

La séduction semble si simple pour les autres. Si naturelle. Comment Simon peut-il être si étranger à tout ça ? En balayant des yeux les convives qui consomment habilement leur convoitise autour de lui, le chroniqueur s'attarde aux détails. Les conseils de Carole Chamberland lui reviennent pêle-mêle. Hommes comme femmes, tous doivent d'abord projeter leur propre personnalité à partir de leurs vêtements et de leurs accessoires (tel le short de Simon). Les femmes doivent porter des talons hauts. Les hommes (comme les femmes) doivent faire attention aux chaînettes de cou : à ras le cou, c'est un bijou prétentieux. Et tous, sans exception, doivent se montrer vigilants quant à leur hygiène avant un premier rendez-vous. S'assurer qu'ils ont bien enrayé les traces de pellicules, que les cheveux ne sont pas gras, que le déodorant a été bien appliqué, que l'haleine est fraîche.

Simon est arrivé l'haleine fraîche, le cheveu propre, les aisselles impeccables. La danse a tout bousculé son équilibre. La sueur a combattu la propreté et ravagé la coiffure. L'alcool a évincé l'haleine mentholée. La séduction, passé minuit, c'est fragile. À 4 h du matin, c'est carrément périlleux.

Comment font-ils tous pour conserver une hygiène irréprochable jusqu'à l'aurore ? Peut-être le secret se trouve-t-il dans l'économie de mouvements ? Simon n'a jamais su s'économiser. *Less is more*, rappelait-on dans un certain guide. Allez donc tous péter dans les fleurs, les *coachs* de vie et autres essayistes de magazines de caisse d'épicerie !

Le recherchiste en devenir et le prof de philo s'éclipsent, s'engouffrent l'un sur l'autre dans un taxi, cap sur le lit de l'un d'eux.

Une journaliste politique actionne la bouilloire pour se faire un café instantané. Elle désire dégriser rapidement, avant le dodo. Simon a envie de l'imiter. Ça ne rime à rien, cette soûlerie qui n'en finit plus. Il se rapproche du comptoir de la cuisine, aimanté par le canard. Simon observe la vapeur étonnamment blanche s'échapper du bec hurlant. « *Habemus papam !* Nous avons un pape ! » dit-il sans réfléchir. La journaliste éclate de rire. « T'es fucking drôle, Simon. C'est hyper-séduisant. » Le chroniqueur est flatté : « Ah… Tu dis ça à cause de ma danse ou… ? » La journaliste le complimente : « Je t'ai regardé danser tantôt ; c'était très impressionnant ! T'es très flexible ! » Simon est fier de souligner qu'il a fait quatre ans de ballet classique, plus jeune. La journaliste, elle, dévoile son passé de joueuse de hockey.

Et tout naturellement, comme si l'un d'eux avait aidé l'autre à soigner une blessure, selon les règles de l'art de la séduction, soit un mélange d'entraide et d'humour, la journaliste et Simon s'embrassent goulûment. Ils aiment ça, tous les deux. L'érection du chroniqueur ne passe pas inaperçue sur le long corps ferme de la journaliste. C'est à croire que Simon a oublié sa propre évaluation sur l'échelle de Kinsey.

Elle lui dit : « Tu sens vraiment bon. » Simon demande : « On se prend un taxi ? » Elle réplique : « Oui, mais on va chez toi. C'est le bordel chez moi. Pis mes voisins vont encore faire des rénos à 8 h demain. On dormira en cuillères. T'as-tu quelque chose pour déjeuner ? » Simon rougit. La journaliste se fait rassurante : « C'est pas grave. On ira faire l'épicerie. »

Dany Leclair

Burusera

Pièce nº 1, 28 juillet 1987 : Sacha Bergeron (1053, rue du Barachois)

Ce matin-là, sur le dessus de la pile de journaux qu'il fallait que je livre, un carton jaune m'informait que j'avais un nouvel abonné. Un dénommé Sacha Bergeron. Je détestais les nouveaux abonnements. En plus, celui-là se trouvait de l'autre côté du ruisseau Mathieu, sur la rue du Barachois que je ne savais même pas faire partie de mon territoire. J'allais devoir traverser le viaduc et marcher quelques minutes de plus, tout ça pour un seul client. En plus, c'était un appartement au deuxième étage. Deux volées d'escaliers à monter. Trop loin, trop long. Il avait intérêt à bien tiper, ce nouveau client. Sinon, j'allais m'arranger pour qu'il se désabonne assez vite. Ce matin-là, j'ai distribué mes journaux en bougonnant, sacrant contre les précieuses minutes que j'allais ainsi perdre chaque jour.

Sinon, j'aimais distribuer les journaux. Je marchais dans l'air frais de la ville encore endormie, silencieuse, je me réveillais tranquillement.

J'appréciais ce moment de solitude avant d'affronter la cohue matinale de la maison.

Ce que j'aimais le plus, chaque semaine, c'était de faire la collecte. Aller réclamer de l'argent chez mes clients. D'abord, parce que cela me permettait à quinze ans d'être autonome financièrement. Je ne dépendais pas de mes parents pour mes dépenses quotidiennes. Mais aussi, et surtout, parce que je m'immisçais dans la vie de famille de mes clients. Je les surprenais souvent entre le repas principal et le dessert pour réclamer les deux piasses et quelques qu'ils me devaient. J'aimais m'introduire ainsi chez les gens, jouer au voyeur. Je faisais irruption dans leur routine, je pénétrais leur intimité. Je restais là, coincé dans leur cadre de porte, mon poinçon à la main, à attendre qu'on vienne me payer. Toujours le même montant. Sur la quarantaine de clients que j'avais, seulement trois ou quatre pensaient à préparer l'argent avant que j'arrive. Les autres me faisaient attendre pendant qu'ils fouillaient tous les recoins de la maison à la recherche de monnaie.

Pendant que la mère explorait sa sacoche pour trouver son argent, le reste de la famille continuait à mastiquer sans se soucier de ma présence, comme si je n'existais pas. Je connaissais par cœur les routines du souper de tous mes clients. Les lundis soir, tous les lundis soir, les Bouchard mangeaient du steak haché avec des patates pilées et des petits pois. Mme Savard, la vieille prof à la retraite, attendait son mari en tricotant des pantoufles de Phentex. Chaque Noël, elle m'en offrait une paire. Les Brassard s'engueulaient. Le bonhomme en bedaine, la bonne femme dans sa vieille jaquette. Les Dallaire regardaient Télé-Métropole sans dire un mot, enfournant les bouchées sans même jeter un œil sur ce qu'il y avait dans leur assiette. Chez les Fortin, les jeunes avaient déjà fui la table. La mère desservait leur assiette tandis que le père finissait son repas sans quitter des yeux son journal. Chaque semaine, la même intrusion dans leur vie privée, la même excitation.

Un nouvel abonné portait cette excitation à son comble. J'étais curieux de voler un nouveau fragment d'intimité, de m'introduire chez des inconnus. J'avais hâte de découvrir ce qui m'attendait chez mon client de la rue du Barachois. La première fois que je m'y suis présenté pour la collecte, pas de voiture dans le stationnement du 1053. Arrivé en haut des marches, j'ai cogné, j'ai attendu. J'ai collé mon nez à la fenêtre pour mieux voir. L'appartement était carré, minuscule. Le salon et la cuisine constituaient une seule pièce sans division. La chambre, elle, se trouvait quelques pas plus loin, à droite. Tout près, une petite salle de bains dont la porte avait été laissée ouverte. Aucun signe de vie. Impossible pour quiconque de se cacher là.

La semaine suivante, même résultat. Je détestais courir après les clients. J'avais l'impression qu'ils me fuyaient, qu'ils ne voulaient pas me payer. Ça m'enrageait.

Exaspéré par ce nouveau client toujours absent, j'ai commencé à lui donner un moins bon service. Je lui réservais toujours l'exemplaire du dessus, celui qui s'est froissé ou déchiré dans le transport. Les jours de pluie, je laissais son journal sur les crochets plutôt que de le mettre à l'abri dans la boîte aux lettres. Parfois, je laissais tomber son journal dans la pelouse débordante de rosée ou, mieux encore, directement dans une flaque d'eau. J'espérais chaque jour qu'il annule son abonnement. Sans succès. Par chance.

×××

Au bout de trois semaines de visites inutiles, alors que je commençais à désespérer, une superbe jeune femme m'a ouvert la porte du n° 1053. Une bombe. Mi-vingtaine, longues jambes, taille fine, épaisse chevelure brune qui ondulait sur ses frêles épaules nues. Elle me faisait penser à Lee Aaron, la *metal queen* sur laquelle je fantasmais depuis quelques mois. Cette vision compensait un peu les désagréments qu'avait pu me causer ce maudit abonnement. Comme je ne disais rien, elle a fini par me demander ce que je voulais.

— C'est… c'est pour la collecte, pour le journal. Je suis… je suis le camelot. M. Bergeron me doit trois semaines, déjà.

Et là, elle a éclaté de rire. J'ai tout de suite ressenti un électrochoc dans le bas-ventre. Une

bouche grande et invitante, une dentition parfaite, un rire franc, frais, séduisant. Un rire qui
donnait le goût de l'embrasser.

— Tu vas l'attendre longtemps, ton monsieur.
Sacha Bergeron, c'est moi. Pas trop déçu, j'espère ?

Toutes mes clientes avaient plus de quarante
ans. Des mères de famille fatiguées, des matantes
pas arrangées, des petites vieilles toutes fripées.
Rien pour exciter mon imaginaire adolescent. Là,
je venais de gagner le jackpot. Ça devait se voir,
j'étais incapable de ne pas la déshabiller du regard.

— Non, non, pas du tout. Vous... vous êtes
très... euh... vous êtes très en retard. Ça fait plusieurs semaines que j'essaie de vous pogner, mais
vous êtes jamais là.

Elle s'est excusée et m'a confié qu'elle travaillait comme barmaid à plusieurs endroits. Elle était
rarement chez elle en soirée. Elle m'expliquait
qu'elle avait bien des congés mais que ses horaires
changeaient tout le temps. C'était à moi de passer souvent pour vérifier si elle était là ou non. Ce
soir-là, m'a-t-elle précisé, j'étais chanceux, elle
était en retard, elle s'apprêtait justement à partir
travailler. Ça se sentait, ça se voyait. Son parfum
flottait dans l'air, une subtile odeur d'agrumes,
fraîche et délicate. Son maquillage soulignait avec
emphase la beauté de son visage. Une couche de
fard rose accentuait les traits anguleux de ses
joues. Un noir charbonneux et épais rehaussait la
finesse de ses cils et mettait ses yeux en valeur.
Un rouge cerise rendait encore plus éclatantes ses

lèvres charnues que j'aurais voulu croquer, que j'imaginais glisser sur ma queue.

À travers les déchirures de ses jeans, les fragments dorés de ses cuisses me fascinaient. Par l'échancrure ample de sa camisole blanche, je pouvais apercevoir les motifs en dentelle noire de son soutien-gorge où pointaient fièrement de petits seins fermes. J'avais l'impression d'halluciner. J'avais devant moi une beauté sauvage comme j'en voyais tant dans les vidéoclips rock diffusés par MusiquePlus. Les rares filles que je fréquentais ne savaient pas s'habiller de façon aussi provocante, aussi sexy. Elles n'osaient pas encore. Elles achetaient chez Au Coton d'informes sacs de patates qui dissimulaient leurs courbes naissantes. Chaque parcelle de leur peau restait cachée sous d'affreux tissus pastel qui leur donnaient l'air malade. Là, j'avais devant moi une femme, une vraie. De plus, déformation professionnelle de barmaid sans doute, elle était sympathique et me parlait sans que je lui pose de questions. Une voix forte et éraillée, avec des accents canaille qui me troublaient, à la limite de la vulgarité.

— Ouais, j'imagine que ça doit faire un beau montant, là. Je sais pas si je vais avoir assez de cash. Prends-tu les paiements en nature ? Ben non, j't'e niaise, a-t-elle dit en me voyant rougir. J'te dois combien, au juste ?

Sa sacoche traînait sur un meuble derrière elle, elle s'est tournée pour fouiller dedans. J'ai été incapable de lui répondre sur le coup. Elle portait un jean affreusement serré. Le tissu moulait de façon obscène le galbe rebondi de son petit cul, la couture s'enfonçant profondément, très haut entre ses deux fesses. Quand elle s'est retournée vers moi, mon regard est resté à la même hauteur, comme hypnotisé par le contour de son sexe qui s'offrait maintenant à moi. Je mourais d'envie de caresser le denim, de peloter ce cul bombé, de glisser la main dans la moiteur de sa fourche pour l'empoigner, pour y enfoncer mes doigts. Les mains croisées devant moi, je tentais tant bien que mal de dissimuler la bosse bien visible qui s'était formée dans mon pantalon. J'étais gêné mais excité en même temps. J'aurais voulu que ça se déroule comme dans un des mauvais films pseudo érotiques de *Bleu nuit* que j'écoutais en cachette. J'espérais qu'elle fasse une remarque cochonne, qu'elle s'approche pour tâter mon entrejambe, qu'elle fasse les premiers pas pour qu'il se passe quelque chose. Mais nous n'étions pas dans un film. Et pour elle, qui devait collectionner les amants dans les bars où elle travaillait, j'étais convaincu de n'être qu'un jeune puceau sans intérêt.

Elle m'a tendu un billet de dix dollars. Ça me laissait un pourboire plus que généreux. Je l'ai regardée, surpris et satisfait.

— Pour me faire pardonner de pas être là souvent, m'a-t-elle dit en m'offrant un sourire coquin.

Après, plutôt que d'aller retrouver mes amis comme je l'avais prévu, incapable de débander, j'ai décidé de rentrer chez moi. Je n'avais plus le goût de sortir. Le reste de la soirée, je l'ai passé seul dans la noirceur de ma chambre à revoir ce petit cul parfait. Cette nuit-là, je n'ai pas beaucoup dormi, trop occupé à me caresser en fantasmant sur ma nouvelle cliente sexy. J'imaginais ma prochaine visite, m'inventais d'improbables scénarios de baise torride où je la prenais sauvagement. Finis les rêves banals où je frenchais Nadine, où je pelotais Cathy, Nancy ou Nathalie. J'avais désormais des rêves d'homme.

×××

Après trois autres semaines, un matin, en déposant le journal dans sa boîte aux lettres, j'ai vu qu'elle m'avait laissé une note. Elle me disait que l'argent était sur la table de cuisine, que je n'avais qu'à entrer pour le prendre. J'ai tourné la poignée lentement et je me suis glissé dans l'appartement. J'avais vu sa Jetta dans le stationnement, je savais qu'elle était là, sûrement en train de dormir après avoir travaillé toute la nuit. J'ai fait les quelques pas qui me séparaient de la table et, en prenant mon argent, j'ai aperçu la porte entrebâillée de sa chambre. Je n'avais que quelques pas à faire pour me retrouver tout près d'elle. Je me suis avancé et j'ai poussé un peu plus la porte en priant pour qu'elle ne grince pas. Je pouvais maintenant entendre le bruit régulier de sa respiration. À part ma mère et ma sœur, je n'avais jamais vu de fille en train de dormir. Je voyais les formes de son corps sous les couvertures. C'était beau. Insouciante, vulnérable, elle dormait sous mes yeux. Une de ses chevilles, nue, dépassait de la couette. Une cheville délicate, fine, invitante, ornée d'un tatouage de serpent qui montait sur son mollet. J'ai fait un pas de plus et j'ai vu une des mèches de sa chevelure glisser sur sa joue. Je l'épiais, conscient que les draps cachaient sans doute sa nudité, qu'un simple mouvement pouvait tout me révéler de son corps. J'attendais qu'elle bouge, que les draps se déplacent pour me laisser voir la peau blanche de sa poitrine ou de son cul. Je suis resté là pendant de longues secondes, à l'affût.

Elle a marmonné, a bougé en ramenant l'épais duvet blanc sur elle. J'ai paniqué. J'avais le cœur qui voulait exploser, j'avais l'impression qu'elle pouvait l'entendre, que le vacarme allait la réveiller. Si elle ouvrait les yeux, elle me verrait, elle aurait peur. J'ai rebroussé chemin, le plus discrètement possible.

En finissant ma tournée ce matin-là, je m'en voulais d'être parti si vite. Je maudissais mon manque d'audace, me disant que je n'aurais peut-être plus jamais d'occasion comme celle-là. Je ne cessais de réinventer ma matinée en me disant: *Et si... et si...*

×××

Quelques semaines plus tard, ma mère m'a envoyé faire une commission chez Aubin, le dépanneur du quartier. Comme c'est sur la rue principale, tout près du viaduc, j'ai pu remarquer que la petite Jetta se trouvait dans le stationnement du n° 1053. J'ai pris une chance et je suis allé cogner chez Sacha pour réclamer l'argent qu'elle me devait.

Quand elle m'a répondu, j'ai d'abord éprouvé une amère déception. Les cheveux en broussaille, les traits fatigués, elle portait un affreux pyjama bleu poudre, beaucoup trop grand pour elle. Un truc affreux avec des nounours, des lunes et des étoiles. Le comble du quétaine. Rien à voir avec l'allure affriolante de notre première rencontre. Mon fantasme en prenait plein la gueule. Elle m'a fait entrer et s'est mise à la recherche de son argent. Elle a trouvé sa ceinture de barmaid qui traînait sur le divan, l'a déposée sur la table et, tandis qu'elle se penchait pour fouiller dedans, j'ai remarqué que le deuxième bouton de son pyjama était détaché. Le vêtement de coton bâillait largement, m'offrant une vue imprenable sur un sein blanc qui dansait librement sous le tissu. Un sein mignon, à la forme un peu retroussée, plus triangulaire que rond. L'espace d'un moment, j'ai même pu apercevoir le charmant bout rose de son mamelon. C'était la première fois que je voyais un vrai sein dans la vraie vie. J'en voyais sur les posters de Samantha Fox qui ornaient les murs de ma chambre. J'en avais déjà vu à la télévision, dans les films pornos que je réussissais parfois à voler dans le présentoir chez Aubin, mais jamais je n'avais eu la chance d'en admirer un vrai. J'ai fixé trop longtemps cette ouverture merveilleuse. Elle a relevé la tête et s'est rendu compte que je fixais sa poitrine. Plutôt que de s'empresser de refermer l'échancrure du pyjama, comme je le craignais, elle s'est contentée de me tendre l'argent en souriant.

— Pas trop discret, le jeune. On va dire que ça fait partie de ton pourboire pour cette semaine...

Je m'en voulais d'avoir manqué de subtilité, elle allait sûrement être plus vigilante à l'avenir. J'étais convaincu qu'elle s'arrangerait pour que cela ne se reproduise plus. La prochaine fois, c'était fichu, j'allais la retrouver habillée en *suit* de ski-doo.

×××

Vers la fin de juillet, je marchais sur la route principale pour aller retrouver mes amis au bout du quai de Grande-Baie. Pour fêter la fin de notre troisième année de secondaire, nous avions pris l'habitude de nous retrouver là pour boire les quelques bières que nous avions réussi à voler à nos pères. En faisant un détour chez Aubin pour aller m'acheter des chips, j'ai remarqué qu'il y avait de la lumière dans l'appartement de ma cliente. La voiture n'était pas dans le stationnement, mais j'ai tout de même décidé de prendre une chance. J'allais avoir besoin d'argent pour finir ma soirée et Sacha me devait encore plusieurs semaines. Plutôt que d'aller sur le quai, j'ai donc fait un détour par la rue du Barachois. J'ai cogné à trois reprises : pas de réponse. Quand j'ai tâté la poignée, elle n'a offert aucune résistance. Je n'ai pas été surpris : dans ma petite ville, personne ne verrouille ses portes. Il faut dire qu'à Grande-Baie, contrairement à Arvida, c'est vrai qu'il n'y a pas de voleurs. Je suis entré et, pour la forme, j'ai lancé un timide « Y a quelqu'un ? » qui est resté sans réponse.

Excité, j'ai décidé d'avancer un peu plus dans l'appartement. Cette fois, encouragé par mes regrets, j'ai osé m'aventurer jusque dans la chambre. Là, j'ai ouvert les tiroirs et je me suis mis à fouiller. Mes mains tremblaient, je savais que je risquais de me faire surprendre à tout moment, mais dès que mes doigts ont plongé dans le tiroir de ses sous-vêtements, une chaleur intense m'a embrasé, mon ivresse a décuplé. J'ai pris ses soutiens-gorges dans mes mains, je les ai caressés. Puis, j'ai effleuré ses petites culottes. Mon corps frissonnait, j'étais tout entier traversé par de profondes secousses de désir. Ma queue, tendue à l'extrême, me faisait mal. Je l'ai frottée un peu à travers mon pantalon de jogging, me retenant de ne pas la sortir carrément pour me masturber. J'étais sur le point d'exploser, il fallait que j'y aille doucement, par effleurements.

Puis, j'ai abandonné le tiroir. Un autre coin de la pièce avait attiré mon attention. Sur le sol, près du lit, quelques morceaux de linge sale traînaient. En fouillant dans la pile, mes doigts ont rencontré un délicat morceau de satin rouge, une petite culotte fraîchement portée. Je m'y suis enfoncé le visage pour en découvrir toutes les odeurs. Je l'ai ensuite plongée à l'intérieur de mon pantalon pour me caresser. Je savais que ce n'était pas prudent, je me répétais qu'il fallait que j'arrête tout de suite, mais il était trop tard, j'en étais incapable. J'ai décidé de me faire jouir au plus vite et de m'éclipser ensuite. Le doux contact du tissu sur le bout de mon gland produisait une caresse sublime que je n'avais jamais connue, que j'imaginais aussi agréable que celle de l'intérieur d'une femme. Je sentais mes jambes commencer à vaciller. La vague de plaisir affluait vers mon sexe quand j'ai entendu la plainte métallique du vieil escalier qui menait à l'appartement.

Quelqu'un montait.

J'étais coincé.

Au même moment, un spasme violent et inattendu m'a ramolli les jambes. J'ai lâché de longs jets de sperme dans la culotte de satin. Une série de salves épaisses qui semblaient ne jamais vouloir s'arrêter. Je me suis accroupi, le corps tout entier secoué de frissons. J'ai voulu me cacher en dessous du lit, mais impossible, c'était une de ces affreuses bases pleines en mélamine. De peine et de misère, je me suis traîné à quatre pattes jusqu'à la garde-robe où j'ai tenté de me réfugier derrière les portes persiennes.

C'était elle, c'était Sacha. Je pouvais entendre le bruit de ses talons sur la céramique de la cuisine.

Comme nous étions samedi soir, je me suis dit qu'il me suffisait d'être discret et patient. Elle partirait sûrement travailler bientôt et je pourrais alors m'en aller sans problème. En espérant qu'elle ne me trouve pas avant.

Elle est venue dans la chambre et, à travers les lattes de la porte, j'ai pu la voir se changer. Elle a d'abord retiré sa jupe, puis son chemisier blanc. Elle portait un string qui laissait voir la blancheur de ses fesses. Elle l'a fait glisser le long de ses jambes. Je voyais mal, je ne pouvais pas trop m'approcher de la porte pour éviter de faire du bruit, mais je voyais la chute de ses reins, sa cambrure diabolique qui se terminait sur une paire de fesses musclées, parfaites. Ma queue encore poisseuse s'est raidie de nouveau. Sacha a baissé sa brassière, a fait tourner l'attache vers l'avant puis l'a dégrafée. Après avoir balancé ses vêtements sur la pile où j'avais trouvé sa culotte, elle est revenue vers le bureau. Elle était complètement nue. Je rageais de voir aussi mal, mais elle était là, toute nue devant moi. Elle s'est penchée pour ramasser quelque chose par terre, puis elle s'est assise sur son lit.

Son regard s'est fixé un instant sur l'endroit où je me trouvais. J'ai eu l'impression qu'elle pouvait me voir à travers les fentes des persiennes, qu'elle m'observait, qu'elle savait que j'étais là. J'ai retenu mon souffle sans bouger, j'ai attendu. Puis, elle est sortie.

J'ai entendu le bruit de ses ablutions dans la salle de bains, j'ai espéré qu'elle prenne une douche, qu'elle se prépare pour aller travailler, mais non. Elle est revenue dans la chambre, a allumé la lampe de chevet. J'étais pris au piège. Les ressorts du lit ont grincé, puis plus rien. Au bout de quelques minutes, des plaintes se sont élevées dans la chambre, puis des feulements, de petits cris de bête. Je savais trop bien ce qu'elle faisait, je ne pouvais rien voir, mais ses gémissements ont ranimé mon désir.

Dans le lit, elle continuait à se caresser en suppliant un amant imaginaire, insistait pour qu'il vienne s'occuper d'elle. Moi, malgré ma douloureuse érection, je restais prostré comme un con dans le fond de la garde-robe. C'est seulement quand j'ai glissé la main dans mon pantalon que j'ai compris que sa culotte n'était plus là. Dans la précipitation de ma fuite et l'excitation de mon orgasme, j'avais dû la laisser tomber sur le sol. C'était ça qu'elle avait vu, qu'elle avait ramassé. Depuis tout ce temps, elle savait que j'étais là. C'était moi qu'elle invitait.

J'ai alors décidé de faire un homme de moi et je suis sorti de ma cachette. Quand j'ai ouvert les portes, elle n'a même pas sursauté, n'a même pas réagi. Elle continuait de gémir en se tortillant sous les draps. Je me suis approché du lit et j'ai posé une main sur son épaule nue. J'ai lentement laissé glisser mes doigts sur la route blanche tracée par la bretelle de son maillot. J'hésitais à continuer, j'allais remonter vers l'autre épaule quand elle a rejeté les draps sur le côté.

— Y était temps que tu te déniaises, un peu plus pis y fallait que je me finisse toute seule.

D'un geste autoritaire, elle m'a ensuite forcé à me pencher pour plonger la tête entre ses jambes. Tout en caressant l'intérieur soyeux de ses cuisses, j'ai commencé à laper timidement le sexe dont je repoussais les poils pour mieux sucer chaque repli de ses lèvres. En appuyant sur ma tête, elle m'a obligé à coller ma bouche sur l'enflure dodue de sa vulve juteuse.

— Enwouèye, arrête de licher du bout de la langue comme un petit minou ! Mange-moi, montre-moi comment ça mange, un petit puceau.

Ses indications vulgaires accentuaient mon excitation. J'ai donné plus de vigueur à mes coups de langue. Je ne savais pas trop ce que je faisais, j'essayais de reproduire ce que j'avais pu voir dans les films, j'y allais à l'instinct. Ça ne semblait pas trop mal fonctionner. À un moment donné, j'ai trouvé une petite bille de chair que j'ai agacée avec le bout de ma langue. Sacha s'est aussitôt tortillée, a soulevé son petit cul pour mieux m'offrir son sexe qui dégoulinait de plaisir. En voyant que je lui faisais de l'effet, j'ai pris de l'assurance. J'ai enfoncé un, puis deux doigts dans la fente qui s'ouvrait comme une fleur. Il fallait que je me concentre, j'étais moi-même sur le bord de jouir, il fallait que je me retienne, il fallait que ça dure. Au-delà de la petite bosse que formait son mont de Vénus, je pouvais voir ses seins. J'ai abandonné un instant son sexe pour les caresser, les mordiller, les embrasser. Ses mamelons durcis étaient sensibles, elle réagissait au moindre effleurement. D'un geste brusque qui m'a étonné, elle m'a repoussé hors du lit, m'a forcé à me relever. Après s'être agenouillée devant moi, elle a libéré ma queue en me débarrassant de mon pantalon.

Puis, elle a agrippé la base de mon membre d'une main ferme et, avec l'index et le majeur de son autre main, elle a commencé à me branler. C'était efficace et terriblement dangereux. Je sentais que j'étais sur le bord de tout lâcher, je savais que je ne pourrais pas me retenir très longtemps sous ses doigts experts. J'ai voulu la prévenir mais, au moment où elle approchait sa bouche pour caresser mon gland de ses lèvres, j'ai explosé. Elle a continué de frotter ses lèvres sur le bout de ma queue qui n'arrêtait pas de s'agiter sous les secousses de l'orgasme. Mon sperme dégoulinait sur ses joues, coulait sur son cou jusque sur la pente de ses seins. J'avais les jambes molles, je devais m'appuyer sur la tête du lit pour rester debout. Elle continuait à jouer avec ma verge, à me masser les couilles. Ses doigts se promenaient autour de ma queue rendue hypersensible. De temps en temps, elle l'enfonçait dans sa gorge, la suçait comme pour l'avaler. Les lèvres encore humides de ma semence, elle s'est approchée pour m'embrasser, a fourré sa langue dans ma bouche, frottant son visage poisseux sur mes joues. C'était mon foutre sur le visage de cette femme, ma queue entre ses mains. Rapidement, j'ai repris de la vigueur.

— Maintenant qu'on a relâché un peu de pression, m'a-t-elle dit à l'oreille, tu vas pouvoir t'occuper de moi comme il faut. T'es pas comme ces ivrognes impuissants qui sont jamais capables de me fourrer comme du monde, toi. Une petite jeunesse, tu vas me gâter, hein...

Elle s'est installée à quatre pattes sur le matelas, s'est cramponnée à la tête du lit pour m'offrir sa croupe et a saisi ma queue pour la guider là où elle voulait. Je pénétrais une femme pour la première fois, mon pénis frottait sur les parois de son vagin, c'était merveilleux. Beaucoup mieux que la caresse de la petite culotte.

Sacha me fit découvrir toutes les positions, se servit de moi toute la nuit pour atteindre des orgasmes de plus en plus forts. Pendant plusieurs heures, j'ai eu l'impression d'être son objet sexuel, d'être au service de sa jouissance plus que de la mienne. Chaque fois que je faiblissais, elle trouvait une nouvelle façon de me ranimer. Elle enfouissait ma queue dans sa bouche, la mordillait délicatement, la faisait glisser entre ses seins où elle m'encourageait à jouir. Elle me chevauchait comme une amazone sauvage, gémissait sans retenue en s'empalant profondément sur moi. Elle est même allée jusqu'à m'offrir les délices de son petit cul. En une nuit, elle m'a tout appris, m'a tout offert.

Aux aurores, quand on a fini par atteindre les limites de mes capacités physiques, elle m'a congédié comme un gamin impoli. J'ai marché jusque chez moi dans un état d'euphorie anesthésié par ma fatigue. Je suis rentré, puis je me suis couché sans me laver. J'avais la peau du gland irrité, le dos et le torse couverts de griffures, les doigts encore parfumés par l'odeur de sa chatte. Je ne voulais pas m'endormir, je ne voulais pas oublier cette nuit-là.

×✳×

Toute la semaine qui a suivi, j'ai empilé les journaux dans sa boîte aux lettres. Le samedi suivant, quand je suis arrivé en haut de la première série de marches, j'ai tout de suite remarqué qu'on avait tout ramassé. Je me suis empressé de monter l'autre série de marches, d'un pas lourd, dans l'espoir qu'elle m'entende. Arrivé sur le seuil : déception. Dans la fenêtre de la porte, les rideaux de dentelle avaient disparu. Je me suis avancé un peu plus pour constater que l'appartement avait été vidé. J'avais presque le goût de pleurer.

Quand j'ai ouvert la boîte aux lettres pour y déposer quand même le journal, j'ai découvert qu'elle m'avait laissé une large enveloppe de papier kraft. Le fond était rempli de pièces de monnaie. J'ai glissé ma main à l'intérieur et j'ai découvert qu'il n'y avait pas que ça. Tout de suite, j'ai reconnu la soyeuse caresse de la culotte de satin rouge. Je l'ai aussitôt portée à mon visage pour découvrir avec ravissement qu'il restait encore des fragments de son odeur.

En arrivant à la maison après ma ronde, je me suis empressé de m'enfermer dans ma chambre pour me masturber avec mon précieux trésor. Après ce fameux soir de juillet 1987, je n'ai jamais revu Sacha, ma belle cliente, ma première baise. Mais je conserve toujours précieusement sa culotte de satin rouge, la première pièce de ma collection. Une collection qui compte aujourd'hui plusieurs centaines de sous-vêtements féminins. Des pièces toutes subtilisées à mes amantes, à mes amies, à mes collègues. Parfois aussi à de pures inconnues chez qui j'ose m'introduire. Une collection que je continue d'enrichir chaque fois que je le peux.

Ce soir, si tout va bien, j'ajouterai un nouveau morceau à ma collection. La pièce n° 437, 22 septembre 2015 : Caroline Allard (6934, boulevard Rosemont).

Mathieu Handfield

Mars

*Où j'ai visionné près d'un millier
de vidéos pornographiques en
état d'apesanteur et où j'ai
découvert l'impossibilité d'avoir
une érection convenable dans une
combinaison spatiale*

Je me presse contre toi, par-derrière. Tu sens ma queue gonfler lentement contre ton cul. C'est impossible, tu le sais, ce n'est pas le bon moment, le bar est rempli, les toilettes n'offrent aucune intimité, et pourtant tu mouilles, tu mouilles d'une manière inexplicablement abondante. Ta culotte se sature – à un point tel que tu as peur que ça traverse ta robe quand tu vas t'asseoir – au fur et à mesure que tu sens ma queue durcir et que mes mains enserrent ta taille. Je pousse mon bassin plus fort contre le tien et je t'entends échapper un soupir.

Ma respiration est rapide, comme si je venais de courir pendant une heure. J'envoie le message. Je sais qu'il va mettre une trentaine de minutes à atteindre mon interlocutrice et à me revenir, alors j'attends, ma queue douloureusement gonflée dans ma main, et je laisse mon regard dériver vers le désert rouge de Mars à travers le hublot de la station spatiale.

À la surface, j'arrive à discerner le chatoiement métallique des panneaux solaires de la colonie, formée d'un réseau gargantuesque de plaques hexagonales. Construite graduellement au cours des trente années qui ont précédé l'arrivée des colons, cette masse d'unités se détache des étendues rouge sang de Mars qui, traversée par des ombres plus denses et des éclats orangés, me fait penser à une gigantesque plaie ouverte. Je ne sais pas pourquoi, mais je n'arrive pas à chasser cette image. C'est étrange, mais cette planète me paraît hostile, inquiétante... Agressive, en quelque sorte.

Je pense aux habitants de la colonie. J'essaie de me figurer les années qu'ils ont passées sur Mars en complète autarcie : je les imagine s'installer, accomplir leur tâche puis se désintéresser peu à peu de la Terre pour finalement se dire qu'ils n'ont plus de comptes à rendre.

Je me demande ce qu'ils font, en bas, alors que la station spatiale passe juste au-dessus d'eux.

Je me demande s'il n'y aurait pas une fille, là-bas, qui accepterait de me sucer.

La fenêtre de l'écran de communication s'illumine et, par anticipation, mon pénis, que je croyais déjà gonflé au maximum, se gorge d'une nouvelle poussée de sang, pulsant avec force dans ma main. Une érection parfaite, presque suppliante. Je recommence à me masturber pendant que je lis la réponse.

On part en voiture, ensemble. Tu ne me parles pas durant tout le trajet. Je vois dans tes yeux que tu bous d'une sorte de fièvre, sans doute es-tu en train de penser à ce que tu vas me faire, et je ne vais poser aucun

obstacle à ton désir. Tu te stationnes devant chez moi.
Je te laisse m'entraîner dans mes escaliers, puis chez
moi, jusque dans ma chambre, où tu m'assois sur le lit.
Tes mains tremblent pendant que tu défais ton pan-
talon. Je vois déjà, à travers le tissu, que tu es bandé
comme un animal. Tu sors ta queue et, sans préam-
bule, tu l'enfonces dans ma bouche. Tu prends ma tête
entre tes mains et tu me diriges. Je me laisse faire, je
ne fais que sucer. Je sens ta queue gonfler encore plus
contre ma langue et mon palais et je suce plus fort,
tournant ma langue autour de ton gland. Tu gémis, je
te sens déjà au bord de l'orgasme, je suis prête à avaler
ton sperme ou à le recevoir sur mon visage. Tes mains
tremblent de plus belle alors que tu défais mon chemi-
sier et que tu cherches un de mes seins sous mon
soutien-gorge. Je sens que tu vas jouir. Je veux goûter
ton sperme. Je suis à toi.

Cet échange dure maintenant depuis plusieurs
heures. Ma correspondante, une employée de
l'agence spatiale, est expressément mandatée
pour avoir ce genre d'échange avec moi, question
d'éviter que je perde la raison. Au fur et à mesure
que j'approchais de Mars, j'ai commencé à sentir
cet étrange magnétisme, comme une vibration,
qui avait été décrit par les colons envoyés sur la
planète il y aura bientôt cinq ans. Au début, on
n'avait pas accordé grande importance à ce détail,
croyant que les astronautes ressentaient tout
bonnement un mal du voyage, totalement com-
préhensible vu la nature de leur mission : ils

devaient aller s'établir sur Mars pour ne jamais revenir.

Ils avaient d'abord dit avoir ressenti « une sorte d'excitation sexuelle constante » à l'approche de la planète. Cette excitation s'était par la suite transformée en fièvre lorsqu'ils s'étaient installés dans la colonie, mais l'agence, encore une fois naïve quant à la gravité de la situation, les avait tout bonnement encouragés à se « prendre en charge de manière autonome ». Les communications avec les colons étaient dès lors devenues laborieuses, puis chaotiques, avant de s'interrompre complètement. Croyant – ou voulant croire – à un problème d'ordre strictement technique, l'agence m'a envoyé à bord de la station spatiale en orbite autour de Mars pour tenter d'entrer en contact avec eux au moyen du système de communication d'urgence la reliant à la colonie. Chaque jour, je dois envoyer le même message aux colons et attendre leur réponse, ce que je fais depuis une semaine sans le moindre résultat. On pourrait être tenté de croire qu'ils sont tous morts, mais la colonie affiche une lecture thermale indéniable : il y a encore plusieurs personnes vivantes quelque part dans le complexe. Donc, en attendant que quelqu'un me réponde, je patiente et je gère cette « fièvre » du mieux que je peux en essayant d'atteindre l'orgasme grâce à une collection de près d'un millier de vidéos pornographiques – qui ne me font plus rien tant je les ai regardées pendant mon voyage vers la planète rouge – et grâce à l'échange en temps presque réel que j'ai, par écrit, avec la spécialiste en *dirty talk* engagée par l'agence.

Ils m'ont envoyé seul, croyant que ça m'aiderait à me contrôler.

Plus j'approchais, plus mon excitation augmentait tandis que ma capacité à atteindre l'orgasme, elle, diminuait proportionnellement avant de disparaître complètement à mon arrivée à bord de la station spatiale. Il y a maintenant trois jours que je n'ai tout simplement pas débandé et ma masturbation intensive n'a donné aucun résultat.

Je te sauterais carrément, je te pencherais sur une table, je baisserais ton pantalon et ta petite culotte et je te baiserais comme un cinglé. J'agripperais tes seins sous ton chandail, les serrerais dans mes mains, je mordrais ton cou. Je tiendrais ton cul et t'enfoncerais ma queue le plus loin possible. Je te baiserais, fort, à toute vitesse. Je te ferais crier en touchant ton clitoris et, en même temps, je continuerais d'aller et venir. Je te ferais jouir. J'ai envie de t'entendre jouir. J'ai envie de te sentir jouir avec ma queue.

J'envoie de nouveau. J'ai une demi-heure devant moi. Je vais essayer de me changer les idées.

×✻×

La station spatiale, presque aussi grande qu'un terrain de football, avait pour fonction de servir de relais, comme une sorte de dernière étape avant le point de non-retour. En ce moment, je suis le seul occupant, ce qui me laisse le loisir de la parcourir en apesanteur, ma gigantesque érection à l'air libre. C'est étrange, mais j'ai l'impression qu'à force d'être constamment irrigué, mon pénis a gagné quelques millimètres de circonférence. Ou peut-être a-t-il juste enflé à force d'être trop manipulé. Il faut que je pense à autre chose.

La salle de réunion offre une vue saisissante sur la planète et sur la structure de la station spatiale elle-même. D'ici, par une série de hublots, on peut apercevoir le poste de commandement et les longs corridors qui mènent à la cafétéria, à la salle de communication, aux dortoirs et aux nacelles d'urgence, situées de part et d'autre du gigantesque complexe. J'accroche mes pieds à un ancrage et, sans même m'en rendre compte, je recommence à me masturber distraitement en fixant la tache blanche formée par le champ de panneaux solaires inondé de soleil alors que je survole de nouveau la colonie. Comme une giclée de sperme sur le sexe rouge vif de Mars.

Avant mon départ, on m'a montré des photographies des colons. Je me souvenais vaguement d'eux pour les avoir vus aux nouvelles du soir pendant des semaines avant le début de la mission... Il y en a une en particulier qui, depuis que je l'ai revue, n'a pas quitté mon imagination : petite taille, léger strabisme à l'œil droit et sourire un peu narquois, comme si elle savait quelque chose que personne d'autre ne savait. Même revêtue de sa combinaison spatiale, je ne sais pas pourquoi, elle m'avait fait de l'effet. Je me demande si elle la porte encore, sa combinaison. Non, évidemment que non, elle doit porter une camisole. Une camisole de coton blanc. Probablement qu'avec le temps elle a décidé de ne rien porter en dessous. Je parie qu'elle a de beaux seins très très fermes. Je parie qu'on voit ses mamelons poindre à travers le mince tissu. Je parie que je pourrais tenir ses cheveux et glisser mon pénis dans sa petite bouche ; ses lèvres roses, très pâles, entoureraient mon gland. Je parie qu'elle me regarderait droit dans les yeux en me suçant et qu'elle aurait, malgré ma queue que j'enfoncerais jusque dans sa gorge, son sourire narquois, comme une promesse. Je parie que son vagin est minuscule lui aussi, presque brûlant, que son cul est ferme et bombé, qu'elle a envie que je le tienne à deux mains pendant que je la baise...

Ma bite est encore plus grosse que tout à l'heure. C'est comme si tout le sang de mon corps ne servait qu'à maintenir cette intolérable érection.

Je n'arrive pas à penser à autre chose qu'à la texture chaude, souple et humide d'une bouche, d'une chatte ou d'un cul. Je n'arrive pas à imaginer quoi que ce soit qui pourrait me calmer, à part la possibilité de pouvoir mettre ma queue quelque part, de foutre ma queue dans n'importe quoi... Si j'avais autre chose que de la nourriture déshydratée, je jure que je baiserais un fruit. N'importe quoi. N'importe qui.

Je force ma respiration à ralentir. Il faut que je me calme. Il faut que je reprenne mes esprits. L'espace et la solitude peuvent rendre fou, j'en étais conscient quand j'ai accepté ma mission, mais je n'aurais jamais pu croire que la folie s'emparerait de moi de cette manière.

J'entends le timbre de réception d'un nouveau message. Vu mon degré d'excitation, s'il est assez long et assez bien phrasé, peut-être que j'arriverai à atteindre l'orgasme, ce qui me donnerait un peu de répit.

J'agrippe un ancrage et, au moment où je m'apprête à me propulser dans le corridor, je m'arrête net – aussi net qu'on puisse s'arrêter quand on est lancé en apesanteur.

Un son. Des voix humaines.

Sur le coup, la surprise est si forte que j'en oublie presque mon excitation.

Deux voix, un homme et une femme. En train de baiser.

Je tends l'oreille en évitant de faire le moindre mouvement. Ça vient du couloir qui mène au poste de commandement.

C'est impossible. Je suis seul dans la station, et pourtant...

Il va falloir que je fasse un rapport à l'agence sur mon état psychologique. Ou peut-être pas.

×××

Il ne me faut qu'une minute pour atteindre le poste de commandement. Plus je me rapproche, plus les voix deviennent distinctes. Elles proviennent d'une nacelle d'urgence. J'entends clairement deux personnes en train de baiser, j'entends même leur peau claquer à chaque coup de bassin qu'ils donnent et leurs cris augmenter en intensité. Ceux de la femme, de plus en plus aigus ; ceux de l'homme, de plus en plus rauques. Ils vont jouir. Ils vont jouir juste au moment où je vais les surprendre. Mon cœur bat tellement fort que j'ai peur qu'ils l'entendent malgré tout le bruit qu'ils font. Je suis juste à côté, je vais les voir. Je vais les voir baiser. Je vais me joindre à eux.

Vide.

Le petit habitacle est vide, évidemment. À l'intérieur, une combinaison spatiale et de la place pour qu'un seul passager puisse s'asseoir. Et personne dedans. Les voix se sont tues au moment où j'ai passé la tête dans l'ouverture.

J'ai la nausée.

Je prends quelques secondes de répit, assis dans la nacelle, tête appuyée contre le hublot. Il faut que je me calme. Il faut que je reprenne le dessus. Je pourrais communiquer avec l'agence, leur dire que je n'en peux plus, que je veux être rapatrié. Mais si je leur montre que je suis faible, je pourrai faire une croix sur mes espoirs de participer à la première expédition sur Europe, une des lunes de Jupiter. Avec l'expérience que je suis en train d'acquérir, si je tiens bon, je vais me retrouver parmi les premiers candidats quand ils vont former l'équipe. Il faut que je me calme. Il faut que je termine ma mission. Que j'attende qu'ils décident que je peux rentrer.

Mon pénis est écarlate, parcouru de veines bleutées. Lorsque j'y touche, j'ai mal ; lorsque je n'y touche pas, j'ai encore plus mal. Je me masturbe encore, sans trop y croire.

Mars est si près. La colonie est juste à côté. J'ai l'impression de les entendre discuter entre eux. De les entendre baiser dans les dortoirs. Mars est si près, tellement près que ça me donne des palpitations.

Je n'aurais qu'à tirer le levier d'urgence. La colonie est de nouveau en vue, je vais la survoler d'un instant à l'autre.

Il suffirait que je ferme la porte de la nacelle et que j'actionne le levier. Je serais sur la surface de la planète en un instant. Avec la combinaison spatiale, je n'aurais qu'à me rendre à pied jusqu'à la colonie. Je pourrais ouvrir le sas. Je pourrais entrer et trouver la petite brunette. Elle pourrait m'inviter dans le dortoir ou dans un corridor, n'importe où. Elle pourrait prendre ma queue dans sa main, me masturber en m'entraînant dans un coin isolé de la colonie.

Je pourrais tirer le levier et descendre baiser sur Mars.

Je décolle ma tête du hublot, pris de vertige. Si je me rends sur la surface de la planète en nacelle de secours, je ne remettrai plus jamais les pieds sur Terre.

Si je tire ce levier, je descends mourir sur Mars.

×××

La nacelle de secours plonge à toute vitesse vers la planète rouge. La combinaison spatiale n'a pas été prévue pour accommoder des astronautes en érection et mon pénis comprimé bouillonne de douleur.

Les parachutes sont déployés et commencent à ralentir ma descente. Je m'agrippe à mon siège.

L'impact de l'atterrissage est fulgurant. Il me faut quelques secondes pour me remettre du choc. Je crois que je me suis cogné la tête. Dans la visière de mon casque, je vois un peu de sang.

J'ouvre la porte de la nacelle. Le vent et le sable me repoussent. Je me hisse à l'extérieur. Mon entrejambe est douloureux comme une plaie.

Chaque pas exige un effort ; j'ai passé plusieurs mois en apesanteur et mes muscles sont atrophiés. Je crois que je me suis fêlé un pied en descendant de la nacelle ; mes os sont décalcifiés, je devrais me reposer, éviter les efforts. Je m'en fous. Le désert rouge et les caps rocheux m'entourent, comme en simulation mais différemment. Différemment parce qu'en simulation, je m'attardais aux détails, j'observais la planète avec la fascination scientifique d'un chercheur. En ce moment, je ne vois qu'une étendue de sable et de pierre que je dois traverser pour aller me mouiller la queue.

Le soleil est aveuglant, presque à l'horizon. À moins d'un kilomètre devant moi, je distingue le complexe d'habitation de la colonie.

Je n'aurais jamais cru que c'était possible, mais la vibration, le magnétisme sexuel s'amplifie. Je ne suis plus certain de ce que je fais ici, je ne suis même plus certain de mon nom. Je suis une queue, une queue avec un corps pour la porter, des jambes pour la déplacer vers une fente, un trou, une cavité. Je suis une queue qui meurt de s'enfoncer profondément dans n'importe quoi. Je sens mon pied fêlé, mais ça n'a aucune importance.

Le soleil va disparaître derrière une montagne. J'aperçois quelque chose au sommet, à contre-jour.

La silhouette d'un homme.

Un homme qui a une étrange crête au sommet du crâne, qui se tient debout tout en haut d'un cap de pierre et qui me regarde.

Un homme dont la silhouette se découpe sur le soleil couchant, son pénis immense, presque aussi grand que lui, dressé vers le ciel de Mars.

×××

Je m'effondre contre la porte intérieure du sas. Il faut que je retire ma combinaison spatiale, il faut que je libère ma queue. J'attends à peine que la pièce se pressurise et se remplisse d'oxygène pour retirer mon casque.

J'avance dans les corridors étroits de la colonie. J'ai laissé ma combinaison derrière moi et je cours sans tenir compte de mon pied blessé, nu, hurlant, mon pénis brandi, puissant et horriblement gonflé ouvrant la marche.

Le complexe semble désert, abandonné. Partout, les traces de désordre suggèrent que personne n'a touché à quoi que ce soit depuis des années.

C'est impossible, pourtant. Je sais qu'ils sont là, quelque part, vivants. Il faut que je les retrouve. Il faut que je baise.

Il faut que je baise.

Je commence à tituber. Je m'appuie contre un mur, haletant. Je prends ma queue, je me masturbe comme un dément. La sensation est si vague que je perçois à peine que je me touche. Je n'arrive plus à penser.

Je pousse une longue plainte qui résonne dans toute la colonie abandonnée et je me laisse glisser au sol. Le sang de ma blessure à la tête coule dans mes yeux. Je vais mourir ici. Je vais mourir la queue engorgée, vidé de toutes mes forces.

×××

Ma tête repose sur le sol froid. Je respire difficilement ; mon corps est tordu pour laisser de l'espace à mon érection. Depuis combien de temps suis-je ici ? Des heures ? Des jours ? Je suis incapable de le dire.

Je suis complètement inerte, comme un condamné laissé à agoniser par ses bourreaux après une séance de torture. La seule chose qui me prouve que je suis en vie, ce sont les battements de mon cœur, que je vois pulser dans mon pénis désormais monstrueux, immense, devenu une entité sur laquelle je n'ai plus aucun contrôle, accroché à moi seulement pour que je lui donne de mon sang.

Si j'en avais la force, je le couperais, je l'arracherais. Peut-être qu'une fois ce monstre détaché de moi, je pourrai enfin reprendre mes esprits ? Des larmes me brûlent les yeux.

Puis, un calme soudain s'empare de moi. Une sorte de sérénité que je ne saurais associer à autre chose qu'à une injection de morphine. Je me sens bien. En paix. Ma respiration ralentit, en harmonie avec les battements de mon cœur.

L'obscurité fait place à la lumière. Un soleil aveuglant au-dessus d'une étendue d'eau. C'est l'océan. Je vois le soleil au-dessus de l'océan. Je suis à la plage, dans une petite maison. Je suis avec une amante. Une grande fille, blonde, avec de gros seins. Elle sort de l'eau, je la vois me regarder. Elle s'approche de moi, sur la plage, en serrant ses seins dans ses mains. Elle défait le haut de son maillot. Ses seins. Ses seins sont magnifiques. Ses seins sont parfaits. Il n'existe rien d'autre que ses seins.

Et alors, aussi soudainement qu'elle était venue à moi, ma rêverie s'estompe. Je suis dans la colonie, étendu au sol, frigorifié.

Quelque chose au bout du couloir, dans l'obscurité. Quelque chose ou quelqu'un. C'est lui, l'homme que j'ai aperçu au sommet de la montagne. Je reconnais l'étrange crête au sommet de son crâne. Son corps musclé est couvert d'écailles et ses yeux jaune vif luisent dans la pénombre du corridor. Il m'observe, son pénis démesuré – lui aussi couvert d'écailles – dressé devant lui.

Il me parle. Il chuchote dans ma tête. Pas en mots : en idées. Il me dit que c'est lui qui m'a montré ces belles images. Il me dit qu'il faut que je le suive, qu'il a encore de belles images à me montrer.

Il se retourne et s'engage dans un embranchement du corridor. Il faut que je le suive, il est bien là, je ne l'ai pas imaginé. Il est là et il veut me montrer quelque chose. Quelque chose de merveilleux.

J'arrive difficilement à me remettre debout, déséquilibré par mon sexe. M'appuyant contre le mur d'aluminium, j'avance jusqu'au coin où l'homme-lézard a disparu. Tout au fond, une porte. Une porte blanche, entrouverte, d'où filtre une faible lueur orangée. Un bourdonnement assourdissant emplit mes oreilles tandis que je boite vers la lumière. Une odeur très forte me parvient, musquée, piquante. Dans ma tête, des éclats de chair se mettent à apparaître. Je vois des seins, des dos cambrés, des culs. Sans m'en apercevoir, je me suis remis à marcher normalement, stimulé par cette odeur de corps qui devient de plus en plus forte à mesure que j'approche de la lumière. Faiblement, puis de plus en plus distinctement, j'entends des voix. Le son d'une dizaine de personnes, hommes et femmes, gémissant d'extase.

Je reconnais l'odeur : c'est l'odeur du sexe. Je n'ai jamais été ailleurs qu'ici. Je n'ai jamais voulu autre chose. C'est en courant que je franchis les derniers mètres jusqu'à la porte que j'enfonce sans réfléchir, rejoignant, sans ralentir ma cadence, la dizaine de corps entremêlés et de sexes emboîtés qui, comme si je n'avais jamais été absent, m'accueillent sans interrompre leur mouvement spasmodique.

Je suis submergé de bouches, de mains, de peau, de vulves et de culs. Mon pénis s'enfonce, puis ressort et s'enfonce de nouveau dans tous les orifices, béants, déformés, qu'il trouve, et ces cavités l'accueillent sans problème, l'avalent, le sucent, l'enlacent. À travers le brouillard de corps, je reconnais des visages qui me rappellent une autre vie, le visage d'une femme, une brunette, un léger strabisme dans l'œil droit. Je reconnais ce corps fantasmé, ce corps que je serre maintenant entre mes doigts, ce corps décharné, vidé, creusé par l'épuisement, dans le sexe duquel j'enfonce mon membre désormais inhumain.

Pendant une seconde, un instant si bref qu'il est déjà presque oublié, j'ai un éclair de lucidité, un dernier soubresaut de conscience, et je vois avec mes yeux d'astronaute, mes yeux d'homme sensé, l'endroit où je me trouve. C'est une pièce complètement saccagée, probablement le laboratoire de recherche, maculée de déjections, aux murs constellés de taches d'humidité et de pourriture, au sol jonché d'éprouvettes cassées, dans laquelle une dizaine d'humains décharnés s'agitent on ne sait avec quelle énergie tant leurs membres sont maigres, s'emboîtant les uns dans les autres. Personne ne semble se soucier du verre qui lacère les pieds et les dos, personne ne semble être même conscient d'être là. Je suis au milieu d'une orgie apocalyptique et je ne fais qu'un avec tous ces corps osseux et faibles aux sexes rouge vif démesurément dilatés.

La dernière chose que je vois, c'est l'homme-lézard, tout au fond de la pièce, qui observe la nouvelle entité que je forme sans distinction avec tous ces corps qui m'appartiennent autant que le mien. Les yeux de l'homme-lézard braqués sur moi. Sa bouche sans dents qui s'ouvre et se referme sur son immense pénis écailleux.

La dernière chose dont je me souviens, c'est l'homme-lézard en train de sucer son propre pénis en m'observant.

Ensuite, il n'y a que de la chair.

Geneviève Jannelle

L'Amant
Lamentable

Les hommes sont tous convaincus d'être de bons baiseurs, des P. K. Subban du pieu. Ils s'avouent ordinaires au tennis, pas géniaux avec un marteau ou moyens en cuisine, mais au lit, alors là, ce sont tous des chefs. Si seulement ils savaient. Le Bon Baiseur, celui qui mérite ses deux majuscules, est aussi rare qu'un trèfle à quatre feuilles. En trouver un, ça arrive aussi souvent que recevoir un appel durant lequel une voix préenregistrée t'annonce, dans un anglais débordant d'enthousiasme, que tu as gagné une croisière et que ce soit vrai. Les mauvais baiseurs, ivraie sexuelle de notre société, sont, eux, légion. Par souci d'honnêteté, je dois cependant préciser qu'ils se classent en deux catégories : les mauvais baiseurs intrinsèques – dont la médiocrité est indiscutable puisque fondée sur des défaillances physiques et/ou sur des tares comportementales que tous et toutes jugeront négatives – et les mauvais baiseurs circonstanciels. Ces derniers peuvent être considérés alternativement comme de bons ou de mauvais baiseurs selon le contexte ou, plus souvent, selon le ou la partenaire qui les accueille. Car il serait faux et injuste de nier le fait que la rencontre sexuelle est une fusion de deux énergies, celles-ci pouvant être individuellement grandioses mais incompatibles. Bref, tout ça pour dire qu'il est laborieux pour la jeune femme moderne de dénicher le spécimen qui lui donnera envie de balancer son vibrateur par la fenêtre. Nettement plus ardu que de trouver l'amour.

Je parle en connaissance de cause : j'ai moi-même reçu dans ma vie bien plus de demandes en mariage que d'orgasmes vaginaux. Le mâle moyen est plus à l'aise de mener une femme à l'autel qu'au septième ciel, et moi, je suis de celles qui préfèrent qu'aucune jarretelle ne fasse partie des motivations quand on enfouit le visage entre mes cuisses.

Mais il ne faut pas en parler.

Il y a, autour de la nullité sexuelle masculine, un énorme tabou, une omerta. La paix sociale en dépend : les hommes ont l'ego si fragile. Et Dieu sait qu'on n'a rien à gagner à se faire bloquer le pont Jacques-Cartier par une horde outrée d'hommes malhabiles se soulevant, pancartes en main, pour protester et défendre leur virilité. Bad Lovers 4 Justice. Hé hé.

Pardonne-moi, je m'égare.

Mais je ne t'apprends rien, n'est-ce pas ? Ne l'avons-nous pas eue cent fois sur l'oreiller, cette conversation ? Tu m'accusais toujours d'exagérer. Il serait pourtant difficile d'amplifier les déboires de certains des amants que j'ai connus tant leurs performances étaient déjà au plus bas. J'ai créé pour eux un titre honorifique, qu'ils se sont passé de main en main, de l'ordinaire vers le franchement médiocre : L'Amant Lamentable.

L'Amant Lamentable ne peut être détrôné que par un amant plus nul encore. Et lui aussi mérite ses deux majuscules. Tu me trouves cruelle ? Hautaine ? Tu veux peut-être que je te parle de S., premier détenteur du titre, qui semblait, d'une fois à l'autre, ne jamais se rappeler exactement où il avait laissé mon clitoris ? Qui me stimulait l'intérieur de l'aine, la grande lèvre droite, le périnée ou un quelconque bout de pubis en soupirant d'impatience lorsque je tardais à jouir ? Tu es toujours sceptique, je le sens. Peut-être alors puis-je t'entretenir de F., son successeur, qui tirait un orgueil démesuré de la taille de sa bite sans sembler remarquer que celle-ci ne dépassait jamais le stade semi-croquant. Tu veux que je te mime la façon dont il enfilait un condom, l'ouvrant à deux mains, l'étirant en un grand cerceau pour ensuite le relâcher comme un élastique autour de sa queue – *snap!* – ? Tu aimerais sans doute que je te décrive l'élégance, la fluidité avec lesquelles son sexe se courbait, pliait comme un concombre passé date, avant de réussir à entrer en moi ? Ah ! non, laisse-moi achever de te convaincre en gravant dans ta tête cette image gluante de J., le cunnilingueur saint-bernard. Lui me mangeait comme une crème glacée molle deux couleurs : en de lents coups de langue qui partaient entre mes fesses et aboutissaient, de longues secondes plus tard, près de mon nombril. La cadence n'accélérait jamais.

Un peu plus et j'avais droit à la croquée finale du cornet.

Je continue ?

Nah, je te ferai grâce du reste de cette longue liste, de l'énumération complète des variantes, du lapin frénétique à la tortue qui met deux heures et demie de pénétration sans parures à éjaculer en passant par le sans saveur qui te pilonne avec l'entrain de ma mère farcissant sa dinde du Nouvel An.

Misère.

Alors qu'avec toi, ç'a tout de suite été parfait. Je t'ai rencontré à cette époque où je devais encore compenser, par une surexposition de mes attributs physiques, le peu de connaissance que j'avais de moi-même, le peu de certitudes et d'assurance que mes vingt-trois ans m'avaient permis d'amasser. J'enveloppais mon corps pour en faire un cadeau, un bonbon, pour qu'il exulte. Surtout, que le tissu ne soit que le simulacre d'une volonté de décence, qu'un écran de fumée, qu'un insolent doigt d'honneur à l'ensemble de la gent féminine. Chaque jour, je consacrais beaucoup d'énergie à faire en sorte que ma chair appelle l'œil, la main, l'envie de se foutre du reste. Mon corps parlait avant que je n'ouvre la bouche.

Tu n'as eu aucune chance.

Pourtant, avant ce soir-là, avant cette fête, tu ne m'attirais pas particulièrement, il faut le dire. Je n'avais même jamais pris la peine de te demander ton nom. À quoi bon ? Tu n'étais pas tellement mon genre, physiquement parlant. Trop petit, trop chevelu, trop de dents dans ton sourire. Puis une amie commune nous a présentés et j'ai découvert chez toi ce détail quand tu parles à une femme qui te plaît, cette étoile dans ta pupille, ce lubrique sourire en coin. Tu sens le sexe à des mètres à la ronde. Et ça, pour moi, ça supplantera toujours la beauté plastique. Mon corps-bonbon t'a appelé, comme les sirènes ; ta cochonceté m'a aimantée, a coulé du béton autour de mes pieds, juste devant toi.

Je n'ai eu aucune chance non plus.

Je t'ai ramené chez moi, t'ai servi et resservi du vin. Nous avons écouté un peu de musique sur mon MacBook, nous faisant mutuellement découvrir nos derniers coups de cœur, jusqu'à ce que, brusquement, tu sembles te lasser de cette comédie. Tu as déposé ton verre, m'as confisqué le mien, et tu t'es dévêtu.

Ce détail m'a plu.

Tu ne t'es pas jeté sur moi, tu ne m'as pas arraché mes vêtements avec l'indélicatesse d'un enfant mal élevé se débarrassant du papier de son cadeau de Noël, tu n'as pas commencé par déballer la friandise. Tu t'es offert, tout simplement.

Jamais on ne m'avait fait l'amour comme ça. Je ne sais pas pourquoi je dis « fait l'amour » puisque tu m'as servi ce qui, dix ans plus tard, se qualifie encore comme la partie de jambes en l'air la plus charnelle, la plus impudique, la plus vicieuse de toute mon existence. Ce sont pourtant les mots qui me viennent.

C'était électrique. Couchée près de toi, il y avait quelque chose comme une fébrilité en moi, un stress. Un bon stress. Des fourmis partout, du bout des orteils jusqu'à la nuque en passant par chacun des ventricules de mon cœur. Un frémissement des ovaires. Ils s'énervaient, ceux-là, en ta présence, ils tapaient des mains. Je me sentais *là*, tout entière au moment présent, mon corps plus plein, plus incarné que jamais. Le sentiment qu'ont ceux qui s'apprêtent à lâcher la rambarde et à sauter, l'élastique autour des pieds. Tu auras été mon premier sport extrême.

Cette fameuse étincelle dans ton œil? Une fois que tu es nu, elle se fait big-bang. Personne ne m'avait regardée – ni ne m'a regardée depuis – avec autant de salacité. Et quand tu me prenais sans fin, comme si j'étais ta possession, comme un gorille sa guenon, je jouissais dans la néantisation de mon être, je ne souhaitais rien d'autre, rien de plus que de me fondre, de me soumettre. Dans ma tête, je criais : « Fuck le féminisme, broiemoi, fais de moi ta chose ! »

Je ne serai jamais une bonne Femen.

Tu m'as baisée comme on boxe. Jusqu'à six heures et demie le lendemain matin. Je travaillais à neuf. Mon sexe a pulsé dans ma culotte toute la journée, au boulot. Comme lorsqu'on rentre les pieds engourdis, l'hiver, et qu'ils reviennent ensuite lentement à la vie en picotant, en élançant. Tu es le dégel de mon sexe.

Depuis, c'est l'été. Un été beige café glacé.

Tu ne t'étonneras pas d'apprendre que c'est entre les bras d'hommes qui, *a priori*, me plaisaient moins physiquement que j'ai ensuite connu mes plus grandes extases. Rien comme toi, bien sûr, mais quand même. Les beaux gosses, eux, continuent de me décevoir. Ils sont d'une constance admirable. Plus ils répondent aux critères de beauté actuels, plus leur corps est parfait et plus ils se regardent baiser. Je préfère qu'on s'oublie en moi, qu'on se goinfre comme si j'étais l'ultime repas avant le couloir de la mort.

Je préfère les cochons aux mignons. C'est dit.

Lorsqu'une queue entre en moi, un pouce à la fois, lorsqu'une langue se fait couleuvre entre les replis chauds de mon sexe, lorsqu'une main broie mon sein, griffe la surface blanche et lisse de ma fesse, je veux que le geste soit habité, qu'il déborde de cette énergie vitale brute qu'est le désir sexuel. Je veux ta fougue, ton empressement, ta soif.

Je te veux.

Rassure-toi, je ne suis pas amoureuse. Contrairement à des hordes pleurnichardes de mes contemporaines, je ne confonds pas désir et amour. La différence est pour moi très nette. Si nette que je conçois mal qu'on mélange si souvent les deux concepts. Nous ne partagerons pas de spaghetti sauce à la viande un lundi soir d'automne, nous n'écouterons pas de téléroman mettant en vedette Guylaine Tremblay, côte à côte sur le divan, et sous aucun prétexte nous n'irons chez Costco ensemble.

Nous ne pisserons jamais en discutant tandis que l'autre se brosse les dents.

Fourre-moi. C'est tout. C'est bien assez.

Contente-toi de me faire ce truc incroyable que personne n'a réussi à me refaire par la suite, ce soixante-neuf debout durant lequel mes cuisses encadraient ton visage, tout entier enfoui entre elles. Tes bras d'homme me soutenaient fermement pendant que je te suçais sans avoir – pour une fois – à écarter mes cheveux de mon visage, la gravité s'étant chargée de les dompter. À la verticale. Vers le bas.

Fais encore luire mon corps de ton sperme. Lèche-le sur moi sans ce dédain ridicule et vaguement homophobe que manifestent tous les autres à l'égard de leur propre semence, cet élixir qu'il nous faut, nous, accueillir comme du foie gras balancé du ciel par les dieux, alors qu'eux l'essuient du revers d'un t-shirt comme une morve d'enfant.

Refais-moi jouir en m'enculant. Ça ne m'est plus arrivé depuis toi.

S'il te plaît ?

Je n'ai pas l'habitude de supplier pour qu'on me baise, tu dois bien t'en douter. Mais m'y voilà réduite, maintenant que tu te consacres tout entier à cette fille, cette chanteuse, cette tatouée débarquée d'on ne sait quel pays d'Amérique du Sud.

Je la hais.

Je l'envie tant.

Tu dois sérieusement te demander quelle mouche me pique pour que je te relance ainsi, après tout ce temps. Je peux d'ici voir ton visage se froncer et sourire à la fois, glisser des doses d'incrédulité entre chacun de ses plis expressifs.

Je vais mourir.

Je sais que je l'ai dit des dizaines de fois entre tes bras, que je l'ai crié, gémi, râlé, postillonné, enfoui dans l'oreiller, mais cette fois-ci, c'est vrai. On me l'a annoncé le mois dernier. J'aimerais une dernière baise qui en vaille la peine. Je veux partir la libido en paix.

Et puis, te souviens-tu de cette autre nuit d'excès de vin et de sexe à s'en user les chairs, quand nous nous étions dit de quelle façon nous aimerions lever les pattes ? Tu souhaitais t'éteindre dans ton sommeil, et moi, être terrassée par une crise cardiaque pendant l'orgasme.

Je n'ai pas changé d'avis.

Si tu ne m'aides pas un peu, je vais plutôt crever, comme le tiers des gens, d'un banal cancer. De métastases pulmonaires, plus précisément. Au moins, j'ai droit au traitement VIP, à l'hôpital : l'Amant Lamentable n° 6 était oncologue. Il faut bien qu'il y ait à l'occasion un ou deux avantages à s'envoyer en l'air avec qui manie sa queue comme un pied.

Je t'attendrai chez moi demain soir. J'habite toujours au même endroit.

Affectueusement,

Camille

x

J'aurais dû indiquer une heure précise dans ma lettre. Me voilà qui tourne en rond à en dévernir mon bois franc. C'est insupportable.

Je remets du mascara pour la troisième fois. Ça commence à faire des grumeaux. Pourquoi est-ce que j'en rajoute ? Pourquoi est-ce que toutes les femmes entrouvrent les lèvres lorsqu'elles appliquent du mascara ? Et pourquoi diable suis-je aussi fébrile ?

Je sais qu'il a reçu ma lettre. Je m'en suis assurée en payant mon petit cousin pour qu'il la lui remette en mains propres. Ça reste moins cher que le service accéléré avec numéro de suivi de Postes Canada.

J'étais prête bien avant l'heure où il est décent de commencer à boire autre chose qu'un mimosa : maquillée, épilée, rafraîchie, parfumée. Habillée, mais pas trop. J'en suis à mon troisième verre de blanc. Le rouge, ça donne mauvaise haleine. Ça tache les dents. Et ça me rend longue à jouir, comme si mon sexe s'engourdissait, se mettait à tituber le long de la queue qui tente de lui montrer le chemin. S'en tenir au blanc.

Je me fais cuire des pâtes. J'en lance une sur le mur, comme dans l'annonce. Pour en tester la cuisson. Et pour la chance. La pâte adhère brièvement au mur avant de tomber par terre. On repassera pour la chance.

Une demi-heure plus tard, je tripote mes linguines du bout de la fourchette en fixant sans le voir celui que j'ai lancé et laissé par terre. Sans appétit, je finis par balancer le contenu de mon bol à la poubelle et me verse un quatrième verre de vin. Un chardonnay bien gras, comme je les aime.

Bon. Qu'est-ce que je pourrais faire ? L'appartement est impeccable. Je lave mon bol et mes ustensiles. Je classe mes épices par couleur. Tiens, je vais aller me rebrosser les dents et retoucher mon rouge à lèvres.

J'ai la bouche pleine de Colgate* Santé de l'émail^MC quand mon sang fige comme une fondue au chocolat trop chauffée : la sonnette a retenti. L'air en vibre encore.

Ça se débat dans sa cage thoracique, cet oiseau de cœur-là. *Il est venu.* C'est ce que je me répète, incrédule, tandis que je vais lui ouvrir.

Debout, là, dans l'embrasure de la porte, il n'est pas davantage mon genre d'homme qu'il ne l'était autrefois. Trop artiste, pas assez soigné. Ses cheveux, plus longs que dans mon souvenir, dégoulinent de pluie. Les mains dans les poches d'un vieux blouson que je connais, il lève les yeux vers moi, sourit en diagonale. Et l'étincelle est là. Je ne peux que le constater : l'air entre nous est toujours aussi chargé. J'inspire, lèvres entrebâillées, cherchant quelque chose d'intelligent ou d'amusant à dire, mais il ne m'en laisse pas l'occasion, met une main sur ma bouche, m'intime le silence d'une paume rude et chaude. Je recule d'un pas et il presse plus fermement sa main contre mon visage, me forçant à rentrer dans l'appartement à reculons.

Il connaît les lieux.

Or, malgré une détermination manifeste, il semble n'avoir aucune intention de me conduire à la chambre. Il me pousse plutôt vers l'avant de l'appartement. Je suis debout, en plein milieu de mon salon, dos à la fenêtre, lorsqu'il retire enfin sa main.

— Déshabille-toi.

Je me doutais que cette fois-ci, il ne s'offrirait pas. Pour ça, il faut s'être retrouvé là de sa propre initiative et non pas à cause d'une missive désespérée. La dynamique est différente. Il lui faut rétablir les courants, ne pas avoir l'air d'une pute mâle qui répond à un *call*, retrouver un peu du chasseur en lui, même si sa biche l'a supplié de tirer.

Lentement, je déboutonne mon chemisier et le laisse tomber au sol. Son tissu aérien le fait planer légèrement et c'est dans un ralenti surréel qu'il va s'écraser sur le plancher de bois. Je déboutonne mon jean et le fais descendre sur mes hanches avant de l'enjamber, puis de l'écarter du bout du pied. En sous-vêtements noirs, frémissante, je me tiens devant mon amant.

— Au complet.

Je dégrafe mon soutien-gorge et le retire. Puis je fais glisser ma culotte le long de mes cuisses fines avec une lenteur, une volonté de désinvolture que mes mains tremblantes gâchent un peu. Sans même me regarder, il passe devant moi et va ouvrir les immenses rideaux d'un geste ample et subit qui me fait sursauter. J'habite un condo moderne dont toute la façade est vitrée. La lumière est allumée chez moi et il fait noir dehors. Je me sens mille fois plus nue qu'une seconde auparavant. J'ai l'impression de recevoir, comme de minuscules dards sur ma peau, les regards de tous les voisins que j'ai déjà croisés, de ce retraité qui possède deux dalmatiens à cette grande blonde toujours en tailleur en passant par les trois étudiants qui se partagent un cinq et demie, en face.

Mon amant s'approche alors de moi par-derrière et m'empoigne brutalement les seins avant de commencer à embrasser ma nuque, mon cou, mes épaules. Je fais mine de me retourner pour lui faire face, mais il me maintient fermement en place. Une de ses mains enserre mon cou ; l'autre descend le long de mon ventre, se glisse entre mes cuisses. Il n'a pas oublié comment, se souvient parfaitement des gestes qui m'amollissent les jambes, qui font sourdre de moi une mouille chaude et abondante. Je halète déjà.

Brusquement, il me contourne, me plaque le dos à la fenêtre et s'agenouille devant moi. Le verre est froid contre mes omoplates, contre mes fesses, tandis qu'il écarte mes genoux sans ménagement. Ses doigts plongent en moi et sa bouche se colle à mon sexe, le frenche, le mord, l'explore en propriétaire. Il me suce, m'aspire, me titille comme peu d'hommes ont su le faire et je m'abandonne. Je suis cent pour cent ici, dans cette pièce, avec lui. Il n'y a pas un atome de moi qui cherche à s'évader, que ce soit en corps ou en pensée. Combien de fois ai-je tenté d'aider un mauvais amant à me faire jouir en imaginant, justement, celui qui se tient présentement entre mes cuisses?

À un certain moment, je suis sur le point de jouir. Il le sent et arrête tout. Il se lève, déboutonne son jean et, sans prendre la peine de l'enlever, en fait jaillir sa queue.

— Suce-moi.

Moi aussi, je me souviens. Je sais ce qu'il aime, la façon d'aspirer ses testicules dans ma bouche comme des huîtres, puis de les faire rouler doucement entre mes lèvres, les endroits où mettre et où relâcher la pression, la façon de jouer de la langue sur le frein de son prépuce. Il gémit.

Je fais glisser son pantalon au sol et lui empoigne durement les fesses. Puis, j'accélère la cadence, enfonce son membre profondément dans ma gorge avant de m'attarder délicatement à son gland, du bout des lèvres.

Sans avertissement, il m'arrache sa queue comme si j'avais en bouche un jouet dangereux. J'ai à peine le temps de me remettre debout qu'il me retourne, me plaque la joue droite et les seins contre le verre avant de m'empaler par-derrière en me tenant par les poignets. Il entre et sort de moi, violemment. Ses couilles claquent contre mon sexe, ses cuisses contre mes fesses. Chacun de ses assauts m'écrase contre la vitre et c'est délicieux. Je relève ma croupe le plus haut possible afin de le sentir au plus profond de moi. Je voudrais qu'il n'arrête jamais.

— T'as toujours un cul aussi incroyable...

J'envisage un instant de dire merci, mais je me contente de lui crier encore plus fort mon plaisir. L'orgasme me prend de court. Au lieu de monter, monter jusqu'à atteindre le fameux point de non-retour, il me tombe dessus comme ces vagues inattendues qui décident d'aller plus loin sur le sable que toutes les précédentes, d'aller ramasser tous les vacanciers qui se faisaient bronzer sur leur serviette, tranquilles. Je jouis longuement. Mon sexe se serre de façon spasmodique sur le sien et la décharge semble ne plus vouloir s'arrê-ter. Lorsqu'elle finit par le faire, je m'écroule.

Ce sont ses mains autour de mes poignets qui me gardent debout tandis qu'il jouit à son tour. Presque sur commande. Comme d'habitude.

Nous restons de longues secondes ainsi : moi, écrasée en sandwich entre son corps et la vitre ; lui, la queue toujours en moi, pesant de tout son poids contre mon dos et mes fesses, sa tête enfouie dans mon cou.

Dans le silence, je n'entends plus que sa respi-ration saccadée contre mon oreille. Puis, les sons reviennent : mon frigo, le tic-tac de mon horloge murale, le ventilateur de plafond. Dans la rue en contrebas, une voiture démarre. Je rassemble mes esprits et les mots que je dois prononcer.

— Faut que j'te dise... Je...

— Hmm ?

— J'ai menti. Je... je vais peut-être pas vraiment mourir...

Il relève la tête mais ne bouge pas. Il est toujours en moi.

— Je suis désolée.

Il reprend sa bite qui ramollit et la range. S'arrache à moi. Je me retourne et vois qu'il sourit. Il s'humecte les lèvres. Sans cesser de sourire.

— Je l'sais. Quand le *kid* m'a donné ta lettre, j'lui ai demandé de qui ça venait. Il a dit toi. J'lui ai demandé comment t'allais pis il m'a dit : « Correct, mais elle vient de se faire domper par son chum. » Je savais déjà c'que tu voulais avant de lire ton message...

Je me mords les lèvres, vaguement humiliée.

— Pis t'es venu quand même ?

— Ç'a toujours été bon, toi pis moi... Mais c'est surtout que ça excitait ma blonde, comme idée. C'est elle, en bas, dans l'auto.

L'humiliation n'a plus rien de vague.

— Mais pour vrai, Camille, dire que tu vas mourir pour te faire fourrer, c'est pas un peu pathétique ?

Je regarde par la fenêtre. Deux phares crèvent la nuit et mon cœur. Le moteur tourne ; j'en vois les vapeurs dans la fraîcheur du soir. Côté conducteur, un petit point rouge. Cigarette postcoïtale par personne interposée. Un des étudiants me fixe dans la fenêtre d'en face. Je ne vois pas ses mains. Du sperme coule le long de ma cuisse gauche.

— Pathétique, ça veut pas dire ça, en français. Tu l'utilises comme *pathetic* en anglais. Ce que tu veux dire, c'est que je suis pitoyable.

— Ou lamentable.

— Ou lamentable, oui...

Je déglutis. Je suis lamentable. L'Amante Lamentable, c'est moi.

Je laisse le constat faire son chemin.

Puis, tout bien considéré, je me dis que pour revivre un tel orgasme, je serais prête à l'être bien plus encore.

Maxime Olivier Moutier

Frédéric fait de la poésie

J'adore Frédéric et il peut tout exiger de moi. Je sais qu'il rêve de disposer de mon corps par tous les moyens, et me contraindre aux pires avilissements. Ce n'est pas tellement grave puisque, de toute façon, je suis à lui. Docile et gentiment dressée pour assouvir ses désirs les plus originaux. Pour lui, par exemple, j'accepte de porter des sous-vêtements légers, taillés dans des tissus très fins. Afin qu'il puisse tout déchirer en un tourne-main, et accéder sans obstacles à mes organes génitaux frétillants. Il manque de retenue, parfois. Il est comme ça. Il me dit que ça presse trop. Il devient fou et il ne voit plus clair. Je le sens, il me mangerait toute crue. Il me regarde et il me saute dessus. J'en profite autant que lui. Il est vrai que je peux payer souvent très cher pour de la fine dentelle, et que cela me brise le cœur de la savoir perdue à tout jamais en si peu de temps. Réduite en lambeaux. Bonne à jeter. Mais nous nous réservons une petite marge à même notre budget commun pour ce genre de dépense. Il préfère que je mette des strings, car j'ai l'air plus salope ainsi. Et moi, j'aime bien avoir l'air salope. Surtout quand il m'invite à ses cocktails de bureau et que tous les employés de son département ont le loisir de regarder mon décolleté.

Frédéric aime beaucoup mon corps. Même si je n'ai pas de très gros seins, il m'aime telle que je suis. Il me dit que je ne vieillis pas, que j'ai l'air en santé et que je ne lui fais jamais honte lorsque nous sortons avec ses copains. Il est sensible au fait que je parle beaucoup, que je ne boude pas et que je me fasse des chignons. Il apprécie cette manie que j'ai de rire tout le temps de tout. Même quand il m'arrive un malheur. Si je tombe en hiver sur la glace, toute seule ou en présence de quelqu'un d'autre, avant de constater que je me suis peut-être fait mal, je ris. C'est vrai. Je suis comme ça. Et Frédéric m'a déjà dit qu'il trouvait que c'était une grande qualité. Je ne le lui ai jamais avoué, mais cette observation m'a vraiment fait plaisir. Il y a plusieurs phrases comme celle-là qui, au fil des années passées avec lui, m'ont fait du bien. Des phrases qui sont restées dans ma mémoire et que je n'oublierai pas de sitôt. Sans s'en rendre compte, Frédéric fait de la poésie. Et comme il le fait justement sans s'en rendre compte, c'est encore plus efficace. Je suis sa femme. Il est aussi mon homme. Et je me trouve chanceuse. J'ai vingt-quatre ans et lui vingt-six. J'ai les cheveux longs et lui les cheveux courts. Des fois le soir, je lui parle de tous mes défauts. Je les lui énumère un à un. Ce qui peut être long. Je suis une fille alors c'est bien normal. En ne quittant pas des yeux ses matchs de boxe à la télé, il me répond nonchalamment qu'il aime tous mes défauts. Encore une chose qui me fait plaisir. Il est vraiment spécial et pas comme les autres. Nous sommes encore trop jeunes pour nous marier. Mais nous nous aimons davantage que bien des gens qui le sont. C'est évident.

Pour Frédéric, j'ai un jour accepté de me faire tatouer le clitoris. Je sais, c'est un peu excentrique. Mais c'est tout à fait possible. Ma copine Laurie refusait de me croire. Il a fallu que je le lui montre. Je me souviens du tatoueur, qui s'était équipé d'une lampe frontale spécialement pour éclairer son plan de travail. Un gros poilu qui faisait un peu peur, avec des piercings et un os en ivoire dans le nez. Le visage posté devant mes jambes écartées, il était couvert de sueur. On voyait bien qu'il ne voulait pas rater son coup. Même s'il semblait nerveux, je l'ai trouvé très professionnel. Il m'a d'abord caressée doucement pour me détendre et dissiper mes craintes. Il me parlait gentiment. Il cherchait visiblement à me mettre en confiance. Puis, au moment d'y aller pour vrai, Fred m'a fermement tenu les poignets, ce qui m'a fait râler de jouissance. Juste à l'instant précis où le gros m'a chatouillé le capuchon avec son aiguille. Je n'ai pas pu m'empêcher à ce moment-là de gicler. Je me rappelle. Le tatoueur en a reçu dans l'œil. Il est resté surpris. Il s'est essuyé avec la manche de son kangourou. Je n'ai pas eu besoin de faire semblant. C'est venu tout seul. Quelque chose comme un cri d'orgasme, mêlé de plaisir et d'atroces douleurs, tout droit sorti de mes entrailles, a fait frémir les autres clients dans la salle d'attente. La peau est très sensible à cet endroit. J'ai failli ameuter tout le voisinage. Les mains du tatoueur étaient énormes. Parfaites pour me tenir en place. Il était on ne peut plus concentré. Peut-être même un peu trop. C'était long. Il n'arrivait pas à terminer. Il avait la langue sortie. Au bout d'un moment, Fred s'est énervé. Sans réfléchir, il a décidé de lui casser la gueule, parce que c'en était assez. Il est gentil, mais il peut être aussi très impulsif. J'avais senti qu'il commençait à s'impatienter. Sauf que, allongée sur la chaise, je ne pouvais rien faire. Il l'a frappé directement sur le nez. Le gros ne voyait plus rien et tournait sur lui-même. On s'est enfuis par la ruelle en courant. J'ai à peine eu le temps de remettre mon jean. On riait comme des fous. J'avais toujours le sexe en feu, et j'avançais dans la neige en claudiquant. Je ne sais même plus si nous avons payé. Ç'a été toute une aventure. Même s'il n'est pas entièrement complété, je suis aujourd'hui contente de mon tatouage. Ma copine Laurie s'est demandé si elle devait en faire autant. Elle n'était pas certaine d'avoir envie d'aller jusque-là.

Je suis devenue l'instrument de la jouissance de Frédéric. Lui et moi, nous faisons des activités. Nous sortons souvent. Il m'emmène où il veut et ne me demande jamais ce que j'ai envie de faire.

Cela me plaît. Je n'ai jamais aimé les gars qui se contentaient de chercher à me faire plaisir. À la longue, je les trouvais mous. Frédéric n'est pas comme eux. Il est très sûr de lui. Nous avons beaucoup de temps libre puisque nous n'avons pas encore d'enfants. Un couple d'amis nous accompagne parfois. Nous allons dans les bars. Le samedi, nous retournons toujours au même endroit. Un pub situé rue Metcalfe, au sud de Sainte-Catherine. Où nous sommes des habitués. Nous n'avons plus besoin de faire la file. Une fois à l'intérieur, passé le vestiaire, Frédéric me demande dans le creux de l'oreille de m'asseoir et d'écarter les cuisses, afin que chacun puisse voir mon entrejambe. Le plus important, à ce moment-là, c'est l'excitation que je procure à mon Fredi. Je sais qu'il est dur comme une enclume. Je vois sa queue dans son pantalon qui n'en peut plus de souffrir, avec cette petite tache humide qui doucement s'agrandit sur le tissu. Dans la lumière bleutée du bar, quand il se tourne vers moi, l'effet est saisissant. Je le fais attendre. Je lui parle d'autre chose, évoque des sujets de conversation qui ne l'intéressent guère. Je lui parle de mes nouveaux vernis à ongles que j'ai commandés sur Internet. Des Miracle Gel de la maison Sally Hansen. Un produit de grande qualité, à base de gélatine, qui assure une plus grande durabilité. On doit l'appliquer en deux étapes, c'est-à-dire qu'une fois la couleur séchée, il faut ajouter une laque, qui durcit en quelques minutes. Un *topcoat*, comme disent les

Américaines. Celui de la maison Jordana est mon préféré. Frédéric me répond qu'au nombre de bouteilles de vernis que j'ai déjà, il me faudrait avoir deux fois plus de doigts. Il me demande si j'ai bientôt l'intention de me faire greffer deux autres mains. Ou deux autres pieds. Je le trouve très drôle, mon gros Loulou. Son humour est tout de suite ce qui m'a fait chavirer. Dès notre première rencontre, lors d'une partie de paintball organisée par ma cousine Julie, je l'ai trouvé drôle. Je m'en souviens comme si c'était hier. On s'est entendus au premier regard échangé. Avec l'intelligence et les voitures sport, le sens de l'humour chez un homme peut être très séduisant pour une femme moderne comme moi. Alors je ris très fort. Et lui aussi. Je sais à quoi il pense quand il me parle de mes doigts. On rit et on boit. On se comprend. Mais je redeviens vite sérieuse. Je le fais attendre le plus longtemps possible. Car il est encore tôt. Tout en faisant comme si je consultais mes textos, je regarde mine de rien l'endroit précis de son pantalon où se trouve sa grosse queue, et constate qu'il n'a pas cessé une seule seconde de bander comme un buffle. Un frisson s'empare de tout mon corps. Cela m'arrive souvent lorsque je suis avec lui. Je sais qu'il bande toujours très dur. Je ne l'ai d'ailleurs jamais vu autrement, je veux dire sans être en érection. On pourrait croire qu'il ne débande jamais. Et je suis chaque fois rassurée. Je respire un grand coup. Je me ressaisis. Je fais comme si de rien n'était. Je jette un coup d'œil à ma montre. Je mordille la paille de mon Long Island Iced Tea. Je remue les glaçons et la feuille de menthe. Je regarde ailleurs. Je fais exprès. Je sais qu'il ne m'écoute pas, car il est incapable de se concentrer. Il n'a presque plus de sang dans le cerveau. Mon amant que j'aime devient à ce moment-là tout étourdi. Il a très chaud et je le sais.

Passé minuit, nous choisissons de nous asseoir au comptoir. Il y a souvent des places restées libres. Tout le monde danse et la musique est encore très forte. C'est là que la soirée commence vraiment. Lorsque des inconnus excités et intrigués s'approchent pour regarder le spectacle, il les invite à me toucher le sexe. Il leur fait signe d'ouvrir toutes grandes les lèvres de ma chatte. Ils peuvent rester, s'asseoir un peu, et me fouiller dans le cul autant qu'ils le souhaitent. Tout en optant pour quelque chose d'élégant, je porte toujours un vêtement facile d'accès. S'ils en ont la patience, s'ils savent faire preuve de délicatesse et de discrétion, Frédéric leur permet même d'enfoncer leur poing au complet dans mon sexe. Ils n'ont qu'à se tenir tout près, se glisser entre nous deux et donner l'impression d'être en train de se commander quelque chose à boire. Assis sur des tabourets, c'est toujours un peu compliqué, mais dans le noir, lorsque le désir s'engage, on y parvient chaque fois. Au départ, il s'agit d'y aller doucement. Puis d'insister par petits coups, en maintenant une certaine souplesse au niveau du poignet. Il faut placer ses cinq doigts en bec de canard. Et faire preuve de bonne volonté. Frédéric reste là pour les guider. Les candidats qui ont un peu trop bu ne sont pas nécessairement les plus adroits. Cette pratique, quand elle est bien conduite, est celle que je préfère, je dois l'avouer. Après les premiers instants de douleurs qui viennent sans tarder, je commence à apprécier cette masse puissante qui s'agite au creux de mon ventre. Je l'imagine cent fois plus grosse que ce qu'elle est vraiment. Je perds le nord. Je ne sais plus de quoi il est question. Je suis dans le moment présent. Je savoure et je ne fais que cela. On m'a déjà raconté qu'à cet instant, je pouvais laisser croire que j'étais sur le point de m'évanouir. Mes pupilles disparaissaient complètement derrière mes paupières, pourtant toujours ouvertes. Les yeux dans 'graisse de bines, comme aurait pu le chanter Robert Charlebois, s'il avait eu à composer une chanson en hommage à nos soirées. Certains, en farfouillant, arrivent même à se branler de l'autre main. Tant qu'ils visent bien là où il faut, qu'ils éjaculent sur leur pantalon, dans une serviette ou dans un verre, et non pas sur la moquette, le patron ne dit rien. Il s'amuse comme un déchaîné lui aussi. On ne voudrait pas gâcher sa soirée. Nous cultivons tout de même la politesse.

Ensuite, ce que nous faisons le plus souvent, pour ne pas dire régulièrement, c'est d'inviter les garçons qui restent jusqu'aux petites heures à venir nous rejoindre dans les toilettes. C'est Fred qui décide de la mise en scène. Il sait être original (il sort tout juste de l'École nationale de théâtre). Après un nombre incalculable de grands verres de bière fraîche, tous les curieux sont les bienvenus. Y compris les serveurs qui viennent de terminer leur *shift*, tout de suite après avoir fait le compte de leurs pourboires. Même le patron, le portier de cent cinquante kilos ainsi que le petit *busboy* de dix-huit ans qui s'occupe de descendre les bouteilles vides au sous-sol. Tout le monde est convié dans le cabinet de toilette. Celui situé dans l'arrière-boutique. Une sorte de local où les employés peuvent accrocher leurs manteaux et laisser quelques affaires personnelles. Une grande pièce éclairée au néon, dont le plancher est entièrement recouvert de carreaux de céramique. Un matériau toujours très froid. Là, tandis qu'il me caresse les seins avec un billet de cent dollars, Frédéric invite tous les hommes présents à se soulager sur moi. Certains se retiennent depuis plusieurs heures. L'un après l'autre, ils me pissent dessus. Partout sur le visage et aussi dans la bouche, que je garde grande ouverte, jusqu'à ce qu'il ne reste plus personne. Parfois, la séance peut durer près d'une heure. Une heure complète de plein orgasme. Même les serveuses s'en donnent à cœur joie. Pas de chichi. Aucune distinction quant au sexe. Elles me connaissent bien, à présent. Je suis de la famille. Un vrai bonheur. Je n'ai pas d'autre choix que de tout accepter. Sans me plaindre. Quand c'est du sperme, je dois bien entendu le laisser couler lentement dans ma gorge. Et faire des sourires.

Mais quand c'est de l'urine, je peux faire entrer le tout dans ma bouche, puis laisser dégouliner le liquide entre mes dents. Sinon, je ne pourrais pas tout prendre. J'en ingurgite toujours un peu, c'est bien forcé. Ce qui est très excitant, je dois l'avouer. Voir toutes ces personnes, heureuses, se déverser sur moi. Parfois, en faisant pipi, comme on est en fin de soirée, il y en a un qui pète. Alors tout le monde s'esclaffe et c'est moi qui me retrouve au centre de cet enchantement. Rien que moi. Personne d'autre. Ils se sont tous déplacés pour l'occasion. Ils sont dix, ils sont cent, autour de moi agenouillée. Et aucune autre fille ne vient me faire concurrence.

Vers les quatre heures du matin, nous rentrons en taxi, Frédéric et moi, les lèvres enflées et la gorge sèche. À l'appartement, nous prenons une douche bien chaude. Il se verse un dernier scotch. Il me traite de pute et nous faisons l'amour. Ensuite, il me passe une chemise de nuit et me borde bien comme il faut dans le lit. Il sait que j'ai besoin d'un petit supplément pour m'endormir sagement. Quelque chose comme un peu de tendresse. Même s'il est tard, que la lumière de l'aube commence à apparaître au loin et qu'il faut se lever avant midi pour aller rendre visite à sa vieille mère. Celle-ci nous a préparé des desserts sucrés que nous devons chaque fois rapporter. Elle n'accepterait pas que nous lui fassions faux bond. Et Frédéric l'aime plus que tout. Il tient toujours à ce que nous lui apportions des fleurs, des chocolats ou une plante verte. Tous les dimanches il faut y aller.

Mais en attendant, Fredi sort le vibrateur du tiroir de la table de chevet. Je le regarde faire, inquiète, les dents serrées. Comme si je ne comprenais pas, alors que je comprends très bien. Je fais semblant d'être effrayée. Comme si je craignais ce qui allait arriver. Je savoure ce moment tant attendu. Même si j'ai déjà joui plus d'une dizaine de fois, sans doute plus que la moyenne des femmes un samedi soir à Montréal, je jouis encore. Je n'ai pas de limites. C'est le fait d'être en compagnie de cet homme-là qui me rend aussi assoiffée. Mon mec. Qui tient la route et qui est toujours prêt. C'est vraiment un don de Dieu que de l'avoir rencontré. Frédéric enduit donc savamment l'instrument en question, qui doit faire au moins vingt-trois centimètres sans sa base, avec un produit lubrifiant. Nous utilisons de la margarine. Sans sel. Que nous achetons rien que pour cela, puisque nous préférons le beurre pour cuisiner. Puis, doucement, il me l'enfile dans le cul. Je murmure en silence que je ne veux pas, mais il sait bien que c'est ce qu'il me faut. Ce dont j'ai besoin. Il branche ensuite l'appareil dans la prise de courant située derrière la table de chevet. Bien que j'aie droit à ce traitement tous les soirs, depuis plusieurs années maintenant, la douleur est chaque fois saisissante. On s'habitue assez mal à ce genre de sensation. Vingt-trois centimètres, très large avec un gros gland à armature renforcée, ça peut surprendre la candidate. Ça pique toujours un peu les yeux. Mais c'est le seul moyen de me faire dormir, sans risquer d'accumuler les cauchemars. Un truc que j'ai trouvé pour me débarrasser des somnifères. Une manière homéopathique, une différente façon de faire. Une approche écologique et naturelle. Impossible toutefois d'essayer d'aller faire pipi une fois le dispositif mis en place. La machine se débrancherait. Je dois garder le vibrateur en moi toute la nuit. Bien enfoncé dans mon anus. Alors seulement, je peux m'endormir en suçant mon pouce. Paisiblement, au creux de la chaleur de mon petit Frédéric tout bien à moi.

Mélikah Abdelmoumen

Manson et la fille des *nineties*
(Rock Story)

We will no longer be oppressed by the fascism of beauty.

Marilyn Manson

Pour mes quarante-cinq ans, Sara a décidé de m'emmener voir le spectacle de Brian au Transbordeur. Elle pense que ça va mettre un peu de baume sur mon cœur de fille qui vient de se faire larguer par son beau grand Lyonnais tatoué à lunettes.

Sara sait que j'adore Brian Hugh Warner depuis plus de vingt ans et que j'entre en transe chaque fois que j'écoute son dernier album.

C'est un peu grâce au *Pale Emperor* que je ne me suis pas complètement effondrée.

J'ai hâte à ce soir, mais je me méfie. Les captations que j'ai vues de ses dernières performances m'ont mise mal à l'aise. Il n'a que quarante-sept ans mais on dirait que le corps ne veut plus suivre, qu'il ne veut plus se prêter au spectacle, à ce théâtre déjanté qui l'a rendu célèbre... Le théâtre de Brian Hugh Warner, burlesque et kurtweillien, gothique et gore, glam et androgyne, lumineux et noir, sale et engagé, baudelairien, génial et pourtant à l'origine de tant de malentendus.

×××

J'ai eu vingt ans en 1990. Musicalement, je suis une fille des *nineties*.

Avant ça, j'ai été une adolescente tout ce qu'il y a de plus ordinaire, du genre qui passe des après-midis ou des soirées à laisser de pauvres gars aussi désemparés qu'elle la tripoter maladroitement. Derrière la façade de chaque ado, il y a ce désespérant conformisme qui vous fait, par exemple, accepter d'entrer dans la vie sexuelle alors que vous n'y êtes ni prêt ni incliné, simplement parce que c'est *ce qu'il faut faire*.

Bref, des années de cul sans désir, au service d'une recherche éperdue du grand amour. Tout ce temps à penser que le sexe n'était qu'un moyen d'arriver à ses fins, qu'il était de bon ton de faire croire qu'on *adooorait* ça, alors qu'en vérité, on ne ressentait rien, rien, rien.

J'aimais déjà la musique, bien sûr, mais à cette époque, mes goûts me portaient encore vers la pop sirupeuse – et, au cinéma, vers les comédies romantiques prônant la recherche du prince charmant.

Ç'a duré bien après mes vingt ans, jusqu'au soir où j'ai allumé la télé pour regarder les MTV Video Music Awards, en 1997, et où je suis tombée sur *lui*, Brian Hugh Warner, alias Marilyn Manson, dont j'avais déjà entendu parler mais que je n'avais jamais vraiment vu ni écouté.

Il était arrivé sur scène avec le déguisement goth-gore qui l'a fait connaître. Rouge à lèvres couleur sang, verre de contact décoloré à l'œil gauche et long manteau de fourrure, presque féminin, dissimulant ce que j'allais découvrir, sidérée, quelques secondes plus tard : le corset noir, les bas résille troués, les Doc Martens, le string en cuir... les fesses nues, parfaites.

Il avait commencé son numéro en disant, sur un ton d'apocalypse :

— *My fellow Americans, we will no longer be oppressed by the fascism of Christianity, and we will no longer be oppressed by the fascism of beauty...*

Et alors, après avoir interpellé, dans la salle comble, les stars sur leur trente et un au sujet de leur quête effrénée de la conformité, de leur désir éperdu de gagner leur place au royaume de dieu, il avait crié :

— *Do you wanna be in a place that is filled with a bunch of ASSHOLES ?*

Il s'était mis à chanter, à scander, puis à hurler sa rage contre la dictature d'un certain canon de la beauté, contre la lobotomisation des cerveaux par les médias. Et j'avais l'impression que c'était à moi qu'il s'adressait. Directement à moi. Je l'aurais juré.

Le riff de guitare diabolique avait fait descendre depuis mon torse jusqu'à mon ventre, puis à mon sexe, des vagues incandescentes. J'étais bercée, emportée, secouée par sa voix, qui était aussi celle d'un acteur.

Hey you, what do you see ? Something beautiful, something free ?

Sa puissance m'avait allumée. Terrassée.

✕✕✕

J'avais raison. Le spectacle m'a déçue. Musicalement, Brian est au sommet. Mais sur scène, ça ne va pas. Il s'est empâté, il n'a plus de souffle, on dirait qu'il essaie de se convaincre d'y croire...

Jeu de dupes : spectateurs, musiciens, lui-même, tous font semblant que rien n'a changé.

Tous, sauf moi.

Et pourtant, comme en transparence derrière la mascarade qui ne fonctionne plus, je vois le film de tout ce qui m'a conquise chez Brian.

J'entends, dissimulé par la performance un peu ratée du mec fatigué, sous les notes mal chantées et le souffle court, *mon* Brian. Évanescent mais bien là.

✕✕✕

« Ce gars se maquille mieux que moi », m'étais-je exclamée ce jour où j'avais vu la fameuse entrevue de Marilyn Manson au show de David Letterman, quelques mois plus tard, en 1998, pour la promotion de *Mechanical Animals*.

J'avais vingt-huit ans bien sonnés et une succession d'épisodes sexuels à mon actif... qui me laissaient toujours aussi indifférente. Je demeurais comme étrangère à mon propre corps, à mon propre désir. Même le plaisir solitaire restait désespérément fade.

On imagine donc ma surprise lorsque je me suis pour ainsi dire découverte en train d'activer ma main droite dans ma culotte, mordant les doigts de la gauche, me retenant pour ne pas grogner, téléportant Marilyn Manson vêtu en dandy transgenre depuis la télé jusqu'à mon lit. Soudain, il était là, allongé contre moi, et la main qui farfouillait dans ma culotte n'était plus la mienne, c'était une main d'homme aux ongles longs parfaitement peints en noir, et la bouche qui me dévorait le cou était une bouche d'homme mais qui me couvrait de rouge à lèvres, et le corps qui soulevait le mien au moment où l'orgasme me faisait bondir sur le lit dans un cri rauque était un corps long et élancé, aux formes délicieusement androgynes.

Mon plaisir avait été comme une explosion. Il avait fait éclater en mille morceaux la jeune femme blasée en moi, la fille au désir mort-né et au sexe éteint.

×××

Après le show, Sara et moi fumons une clope sur le parking du Transbordeur et parlons de ma rupture qui brûle encore, du spectacle que nous venons de voir, de ma déception, de mon malaise. Elle est moins frustrée que moi, peut-être parce qu'elle n'a pas le même «passé avec Brian» – elle est davantage Eddie Vedder que Marilyn Manson.

Nous attendons que son pote Didier, barman au café du Transbo, vienne nous rejoindre. Nous devons aller boire un verre ensemble après la fermeture. Je crois qu'il est un peu amoureux de Sara. Je suis en train de lui dire ça et de la taquiner affectueusement lorsque j'aperçois, sortant sur le parking, là, à quelques mètres de nous, Brian Hugh Warner *himself*. Il est entouré de deux gardes du corps, qu'il renvoie comme des mouches gênantes à coups de tapes sur l'épaule. Ils insistent, il s'entête. Après tout, c'est lui, le boss. Ils s'en vont en secouant la tête, l'air de dire : « Ah ! ces stars ! »

Brian Hugh Warner s'allume une cigarette en les regardant s'éloigner puis, le plus simplement du monde, il se tourne vers Sara et moi. Plongeant son regard dans le mien, il sourit comme un gamin espiègle.

Il n'a pas encore retiré son maquillage. Il porte toujours sa tenue de scène, très classe : redingote de tweed style Sherlock Holmes et chemise blanche à col rigide.

Son maquillage ne ressemble plus à celui de sa période glam-rock, de son épisode burlesque ou de ses clips d'il y a cinq ans. Il y a quelque chose comme un ratage dans le débordement du rouge à lèvres trop foncé, du mascara qui coule (mais peut-être est-ce à force d'avoir sué sur scène ?), de la poudre de riz mal appliquée. Quelque chose cloche dans ce visage, dans cette tête hirsute (et les cheveux savamment lissés n'y changent rien) posée sur un corps vêtu comme une carte de mode en hommage aux dandys anglais du XIXe siècle.

D'ailleurs, il fait vraiment trop chaud en cet été 2015. Il retire sa redingote. Sa chemise est trempée et lui colle à la peau. Il a un ventre, maintenant, et ses hanches n'ont plus rien de celles du jeune androgyne du temps de *Mechanical Animals*. Cela m'émeut, sans que je sache vraiment pourquoi.

Ma sidération et le tourbillon de mes pensées doivent être visibles puisque Sara, qui ne l'a pas vu arriver, se rend compte que quelque chose ne va pas. Elle ouvre de grands yeux lorsqu'elle se retourne et le voit.

Sur ces entrefaites, Didier, le pote barman que nous attendions, sort lui aussi sur le parking. Brian lui serre la main :

— *Hey man, good to see you again !*

— *Yes, you too ! Always great to have you here. You ready ?*

— *Yeah, you ?*

— *Yes. Come and meet my friends.*

Non, c'est pas vrai ! Ils se connaissent ? Didier nous fait signe d'approcher.

— *Marilyn, let me introduce you to my friend, Sara…*

— *Call me Brian, please.*

— *And this is her friend, euh…*

Didier, embarrassé, m'avoue qu'il a bouffé mon prénom. Je le lui rappelle.

Brian me tend la main et, quand nos peaux se touchent, j'entends résonner en écho les paroles de sa version complètement désaxée de la chanson de Nina Simone, *I Put a Spell On You*.

I don't care if you don't want me, 'cause I'm yours yours yours anyhow…

Il n'y a évidemment aucun haut-parleur sur le parking du Transbordeur. Ça vient forcément de l'intérieur de moi. (Au secours ! Ça tourne de moins en moins rond dans mon porte-cheveux depuis que le grand tatoué à lunettes m'a demandé le divorce.)

Didier interrompt le train fou de mes pensées :

— Bon, alors, on va le boire, ce verre ? Je connais un endroit génial pas très loin d'ici. *Come, Brian. I know a good place.*

Apparemment et heureusement, personne n'a remarqué le trouble qui s'est emparé de moi.

— *Avec plaiziwr,* répond Marilyn-Manson-en-vrai-devant-mes-yeux-ébahis-sur-le-parking-du-Transbordeur-salle-mythique-de-concert-lyonnaise dans un français approximatif mais charmant.

Nous suivons donc Didier et Brian Hugh Warner, en chair, en os et en maquillage, vers la sortie du parking.

×✻×

Nous marchons une vingtaine de minutes et traversons vers l'est le terrain vague qui jouxte

Le Transbordeur, à l'endroit où le boulevard de Stalingrad devient le pont Raymond-Poincaré, en face de l'immense parc de la Tête d'Or.

Nous atterrissons dans un débit de vins totalement improbable. « La Cave pas si loin » est une sorte de baraque en bois plantée derrière une rangée d'arbres rabougris, flanquée d'un tout petit lopin de terre battue qui essaie de se faire passer pour une terrasse. C'est là que nous nous installons après avoir été accueillis par le patron, bien connu de Didier. Gérard est un vieux sommelier qui parle avec l'accent des Lyonnais du XIXe siècle, une sorte de loup de mer mal rasé à l'œil bleu vif qui se serait égaré dans une étendue de verdure et qui y serait resté.

Brian est aux anges. Il nous dit qu'il adore la France, qu'il ne connaît pas de pays plus insolite, qu'ici tout est si *intense*, qu'ici le meilleur et le pire se côtoient sans cesse, que c'est génial. Il ne tarit pas d'éloges pour cette drôle de bicoque et sa carte des vins, correcte mais sans plus. Il est touchant comme c'est pas permis.

À un moment, il se tourne vers moi (mon cœur bondit) et me demande ce que j'ai pensé du spectacle. Je ne sais pas ce qui me prend de lui répondre aussi franchement. C'est l'alcool et l'incongruité de la situation, sûrement. Ce soir, on dirait que personne n'est obligé d'être fidèle à sa propre banalité quotidienne.

Je dis à Brian Hugh Warner toute ma perplexité sans décrocher mes yeux des siens. Je lui parle des Beatles qui ont un jour arrêté les tournées pour se consacrer uniquement à leurs albums. Je lui glisse tout de même que je suis fan de lui depuis plus de vingt ans, pour faire bonne mesure et parce que c'est vrai.

Je parcours maintenant son visage du regard, guettant sa réaction. Oui, il y a là quelque chose de Robert Smith, le chanteur de The Cure, un autre rockeur goth-glam vieillissant mais chez qui le maquillage, dès le début, jouait sur les débordements et les dérapages. Le visage de Brian ressemble à un drôle de masque là où j'ai été habituée à une palette de couleurs et à un ensemble de lignes parfaitement harmonieux et maîtrisé.

Beau joueur, il m'écoute avec une déférence exquise et me dit :

— *We're not getting any younger, are we ? And you're a very honest woman.*

Ça, pour être franche, je n'ai pas mon égal… depuis dix minutes et après *whatmille* verres !

Il pointe l'anneau de mariage que je garde stupidement à mon doigt et ajoute :

— *Your husband must love you for that.*

Je lui explique que je n'ai plus de mari en rougissant comme une pivoine et en tentant de retirer mon alliance, sans y parvenir. Je lui raconte comment j'ai été larguée pour une fille de vingt-deux ans. Et à quel point je le vis mal.

— *Oh, I'm sorry,* dit-il. *Well, he must be an idiot, then.*

Il a ce réflexe de poser sa main sur les miennes, qui luttent avec le putain d'anneau doré. Ça m'électrise et ça m'apaise à la fois. J'entends *Sweet Dreams* qui commence à résonner... *Everybody's looking for something*... Je lui souris.

— *And what do* you *do, dear* ? Ta twravail ? me demande-il maintenant.

Je bafouille et cafouille mais j'arrive tout de même à lui dire quelques mots de moi. Et en le regardant m'écouter, je me dis : oui ! Oui, derrière cette enveloppe dont on a envie de dire qu'elle ne ressemble plus à rien, il est là, je le sais, mon Marilyn Manson à moi, celui qui, chez Letterman, s'était révélé aussi attachant qu'il était rebelle, aussi cultivé qu'il était révolté, aussi doux qu'il était contestataire. Il est là, en face de moi, à cette table.

×××

Dans ce qui me le rendait si désirable, il y avait ce corps glorieux, ce corps performant, ce corps porteur. Le corps de Brian Hugh Warner, asexué (bisexué ?), fait pour être habité par une œuvre qui parlait de notre monde, donc de désir et de sexe, mais qui parlait surtout à tous les sexes et à tous les désirs. Un corps libre fait pour incarner une œuvre libre.

Ainsi, moi, hétérosexuelle, je me montais des scènes de baise où j'étais transportée par un homme que mon ami Simon, homosexuel, désirait autant que moi et que mon copain du moment, insignifiant hétéro de base, craignait sans pouvoir s'empêcher de le désirer aussi.

Simon et moi étions à l'université ensemble, en fin de maîtrise, quasi-trentenaires mais adolescents attardés. Nous passions des soirées entières à boire et à discuter de la culture pop que nos études de lettres et philo nous incitaient à réprouver. Je finissais toujours par mettre Marilyn Manson sur le tapis et par faire jouer un de ses albums, que nous analysions alors avec une sorte de frénésie puérile. Nous déblatérions pendant des heures, faute d'avoir le culot de nous masturber ensemble en regardant une captation de *The Dope Show* ou en écoutant la version acoustique de *Coma White*.

Nous nous retrouvions en lui, en notre désir pour lui, comme sans doute, une génération plus tôt, certains s'étaient reconnus en Bowie, Lou Reed ou Iggy Pop. Garçons filles gais hétéros bis trans, nous nous sentions interpellés par ce regard qu'il posait sur le monde, ce regard qu'il retournait comme un gant et qui devenait spectacle. Brian Hugh Warner, alias Marilyn Manson, personnage d'un cabaret furieux qui se jouait dans les yeux, dans les oreilles et dans les sexes.

×××

Affalés sur la terrasse, nous avons bu suffisamment pour mettre en péril la réserve de « La Cave pas si loin ».

C'est alors que nous voyons venir vers nous le gamin ébouriffé de quatorze ou quinze ans qui a passé la soirée à traîner sous un des arbres rabougris, assis dans une chaise de rotin défoncée, hypnotisé par sa console de jeu. Le fils du vieux loustic. Son père s'est encore endormi dans son fauteuil de skaï marron derrière le zinc. C'est signe qu'il faut partir. Si nous voulions bien lui régler l'addition, il transmettra le tout au paternel.

Brian se précipite pour payer. Il fouille dans un portefeuille en crocodile sorti de la poche intérieure de sa veste de tweed. Les billets tombent partout, il est gêné, a du mal à les distinguer les uns des autres dans la pénombre : « *These euros just all look so fucking alike to me, man !* »

Il semble tout droit sorti d'une version sur acide d'*Alice au pays des merveilles*.

Après un « *Oh, to hell with it !* » rieur et craquant, il finit par vider son portefeuille et par en donner le contenu au garçon. Il nous regarde et hausse les épaules, se gratte le nez comme pour s'excuser d'être aussi riche. Il me sourit. Et comme ça, simplement, il nous propose de poursuivre la discussion dans sa chambre d'hôtel, tous les quatre. Il ne repart que le lendemain soir pour la suite d'une tournée éclair dans la région qui durera dix jours. Pas besoin de se lever tôt. La soirée est tellement agréable. Si on en profitait ?

Sara et Didier nous annoncent qu'ils passent leur tour ; je les soupçonne de vouloir se retrouver seuls – l'amour rend impoli et peut vous faire décliner les invitations les plus hallucinantes, les plus tentantes.

Brian leur serre la main et me regarde avec son air taquin. Il me demande si je veux venir quand même et me jure que, contrairement à toutes les légendes, il est un agneau et un gentleman. Il promet qu'il n'aura pas un geste déplacé à mon endroit, et moi, je lui réponds, en français parce qu'il y a une note de séduction dans ce que je m'apprête à lui dire et que je ne suis pas certaine d'oser l'assumer : « Oh, que tu sois un agneau et un gentleman, ça, je le sais depuis au moins vingt ans. Pour ce qui est du reste, tout dépend de ce qu'on entend par *déplacé*. »

Il n'a probablement pas compris mais il a saisi le ton : c'est un oui.

Une heure plus tard, assise sur le grand canapé joufflu de sa suite royale, je le regarde, coupe de champagne à la main, alors qu'il sort de la douche, démaquillé, vêtu d'un jean et torse nu, serviette sur l'épaule.

Il s'assied à côté de moi et pose sa main sur la mienne. Je ne me sens pas très bien. J'entends les paroles de *Disposable Teens* résonner (*We're disposable teens... We're disposable teens... We're disposable...*), mais elles ne viennent pas des lèvres de Brian qui, elles, me demandent plutôt :

— *Hey, there... Are you sure you're OK ?*

J'ai la tête qui tourne et, en un battement de cils, tout devient noir.

En 2000, j'avais trente ans, j'étais en thèse de lettres et j'avais commencé depuis peu à écrire. Je me projetais en Brian bien plus qu'en les auteurs qu'on me poussait à étudier et à imiter. Toute intello que je fusse, toute passionnée par Proust Joyce Melville Balzac Musil Diderot Miller Austen Molière et Zola, ils n'arrivaient pas à remplacer Marilyn Manson.

La pièce *The Nobodies* savait dire mieux que tous les ouvrages de McLuhan, Morin, Adorno ou Baudrillard notre obsession morbide pour tout ce qui brille – et notre désir de briller coûte que coûte comme des cons. *We are the nobodies, wanna be somebodies. When we're dead, they'll know just who we are…*

Tous ces grands pontes de la pensée critique dont on m'imposait la lecture, qui analysaient la culture pop comme un dévot analyse Satan, me paraissaient ridicules.

Je fermais alors leurs livres et m'allongeais sur le dos, un album de Manson dans mon lecteur de CD. Il apparaissait à mes côtés. Je plongeais dans ses yeux artificiellement vairons, je dévorais du regard ses paupières finement peintes, ses faux cils parfois noirs et parfois blancs, toujours d'une longueur démesurée… À l'occasion, il avait des paillettes collées sur les pommettes et je les embrassais tendrement avant de les lécher et de les avaler. Il se collait contre moi, nu, élancé, féminin, son ventre et son sexe contre ma hanche. Et avec cette voix tantôt grave, tantôt rauque, tantôt cassée par les cris, il me chantait des choses à l'oreille en me titillant le clitoris, en me mordant l'épaule, en me pétrissant le sein...

Une fois l'orgasme passé, la scène avait été si vraie que je m'étonnais de ne pas trouver sur mon épaule et mes mamelons des traces de son rouge à lèvres carmin ou des débris de paillettes pleins de salive sur mon ventre.

✕✕✕

Je me réveille sur le grand canapé joufflu, tout habillée, Brian et moi entortillés l'un à l'autre pour y tenir à deux. Lui et moi, baleines échouées, avec nos corps de quadragénaires pas en forme, comme enflés par la tristesse de ne plus être des gamins.

Il s'éveille à son tour et je m'attarde sur son visage plus masculin, plus humain que dans mes fantasmes de jeunesse. Je regarde ces joues un peu bouffies par l'âge, cette peau sous le menton qui tombe et ces yeux qui, sans les lentilles colorées, sont pers et très vifs.

— *Oh, we drank too much. Reassure me, please. I didn't... Did we ?*

— *No, Brian, we did nothing wrong... I think...*

Nous rions. Je n'ai pas souvenir de grand-chose, mais je me dis que si j'avais baisé avec Marilyn Manson, je le saurais.

Pendant que nous buvons un café, il me demande si j'ai des projets pour les dix prochains jours. Si je ne voudrais pas l'accompagner dans sa mini-tournée française. On pourrait passer du temps ensemble. En tout bien tout honneur! La plupart des gens sont fascinés par les stars de la musique ou du cinéma, mais lui, me dit-il, ç'a toujours été les écrivains. Il veut que je lui raconte tout de ce que j'ai écrit et publié dans une langue qu'il ne connaît pas bien et qu'il admire pourtant. Je me rappelle alors qu'il a déjà dit plusieurs fois en entrevue être admirateur de Cocteau et de Rimbaud.

— *And maybe it'd help you forget about this situation*, conclut-il en pointant le doigt vers mon anneau de mariage.

Oublier la trahison du grand Lyonnais tatoué à lunettes en compagnie de Marilyn *fucking* Manson? Je dis oui. Tu parles, Charles.

×✕×

Le lendemain, nous roulons vers Grenoble à bord d'une décapotable louée pour son séjour français. Il adore conduire, me dit-il. Nous écoutons *Ashes To Ashes* de Bowie pour la énième fois de suite. Nous chantons à tue-tête, vent dans les cheveux, et c'est un peu comme si nous nous étions toujours connus.

Je le regarde, si différent de mes fantasmes de jeunesse.

Nous prenons une petite route de gravier, puis arrivons à un chemin qui s'enfonce de plus en plus dans des terres vallonnées.

— *Here we are*, me dit-il en posant la main sur mon genou.

We're on the other side, the screen is us and we're TV...

Devant nous, une sorte de château-hôtel de luxe de province tout ce qu'il y a de plus français.

×××

Nous entrons dans la chambre et posons nos sacs.

Il se plante devant moi. Sourire malicieux. Il replace une mèche de mes cheveux alourdis par la chaleur. Et moi, je ne sais pas résister à l'envie d'embrasser ses lèvres nues.

Elles sont étonnamment douces. Soyeuses.

Il plaque ses paumes au creux de mon dos. Il m'attire à lui pendant que je lui dévore le visage.

Il me mord le cou, le parcourt de ses lèvres, de sa langue, pendant que ses mains descendent vers mes fesses... Et alors, ça recommence, mais cette fois-ci, ça monte de mon sexe jusqu'à mon ventre puis mon torse et enfin ma tête, et j'entends résonner : « *When we held on tight to each other, we were something fatal that fell into the wrong hands...* »

Je lui arrache sa chemise en faisant voler tous les boutons. Une fois que nous nous sommes déshabillés l'un l'autre, j'ai un moment d'angoisse terrible en me rendant compte que, depuis plus de dix ans, je ne me suis mise nue que devant un seul mec, le même homme qui a vu mon corps avoir trente-cinq ans, puis approcher de la quarantaine, puis la dépasser, puis atteindre les quarante-cinq... et qui en a été dégoûté. Le corps qui se retrouve maintenant dénudé devant Brian est celui qui s'est fait larguer pour une plus jeune.

Mais Brian, dont le corps est aussi marqué et aussi loin de la dictature des *beautiful people* que le mien, s'en moque. Il s'agenouille devant moi et m'embrasse puis me lèche l'intérieur des cuisses avec une ardeur qui me met en transe. Il remonte jusqu'à mon sexe, il écarte mes jambes et sa bouche s'empare de mon clitoris, ses mains se plaquent sur mes fesses, les agrippent. Et alors, il joue de moi comme il jouerait d'un instrument.

I couldn't get my mind off her, she didn't want me anywhere but inside...

Je pense que j'ai dû hurler et perdre l'usage de mes jambes parce qu'il se retrouve soudain debout devant moi, me tenant fermement par la taille.

Il me pousse vers le lit.

Je pense à nos deux corps qui sont devenus de simples véhicules desquels nos âmes s'accommodent comme elles le peuvent. Nos corps, demeures délabrées auxquelles il nous faudra bien finir par nous habituer.

Brian me sourit.

Lorsqu'il entre en moi, ça fait un feu d'artifice de la même couleur rouge brûlé que ses cheveux dans le clip de la chanson *The Dope Show*.

We're all stars, now...

Pendant dix jours, nous nous retrouvons avant et après ses spectacles. Nous ne faisons que parler, boire et baiser. Nous mangeons à peine.

Les images de ma jeunesse, celles d'un Marilyn Manson androgyne et filiforme, ont cédé la place à cet homme à la voix égale et grave, aux cheveux de jais, aux yeux rieurs, au ventre généreux, aux hanches toujours féminines mais qui rappellent désormais celles d'une femme de mon âge plutôt que celles d'une adolescente trop mince.

Je rentre toujours l'attendre à l'hôtel, je quitte les spectacles en même temps que les badauds et les fans, m'amusant de mon propre privilège, inouï, inédit : ce soir, comme hier et comme demain, c'est moi que Marilyn Manson viendra rejoindre au lit.

Non, pas Marilyn Manson. Pas la créature étrange et un peu fatiguée qu'ils ont vue s'agiter sur scène, clou d'un spectacle étrange et un brin décati mais jamais inintéressant. C'est Brian Hugh Warner qui vient tous les soirs me retrouver dans la pénombre. Et lorsqu'il me surprend entre les draps en rentrant, lorsqu'il fond sur mon corps avec cette tendresse qui, pour moi, lui restera toujours associée, je m'ouvre de partout avec la fougue de la jeune fille que je ne suis plus depuis longtemps.

Love is evil. Con is confidence. Eros is sore. Sin is sincere...

Il me pose peu de questions sur ma vie personnelle. Je lui ai dit que je n'avais envie d'être pour
lui que ces dix jours, que cette rencontre. Qu'il n'y
avait pas grand-chose à savoir de plus que nos
longues conversations sur la littérature, la poésie,
l'art, la télé, le cinéma, le rock et l'état pourri de
notre monde.

×××

Le soir du dernier concert avant son départ, il
m'invite à une table d'hôte dans un grand restaurant de province. Nous sommes affalés côte à côte
sur la banquette. Nous avons un peu trop bu. Je
m'inquiète pour sa performance d'après. Mais pas
lui, manifestement. Il est pétillant, hilarant, adorable.

Hommage discret du patron du restaurant, qui
l'a reconnu malgré qu'il ne se maquille presque
jamais en dehors des concerts et des apparitions
publiques, *Day 3* se met à émaner des petits haut-
parleurs qui, jusque-là, ont plutôt craché de la gui-
mauve (Michel Delpech, Jean-Jacques Goldman,
Patricia Kaas). « *Brian, I think that may be my
favorite song of yours ! Shhh ! Stop talking, I want
to listen !* » Il éclate de rire. Si c'est comme ça, OK,
il va me laisser écouter ma préférée de ses chansons... Mais pendant que je fredonne en faisant
danser mon verre de blanc, il entoure mon épaule
de son bras, soupire, enfouit son nez dans mon
cou qu'il se met à embrasser, puis à mordiller, à
lécher. Sa main aux ongles peints de noir glisse le

long de ma cuisse jusqu'à mon sexe, le frôle puis le frotte par-dessus la culotte.

— *This song lasts way too long,* me chuchote-t-il à l'oreille.

Lorsqu'il écarte le tissu pour mieux me caresser, heureusement qu'il prend ma bouche parce qu'autrement mes soupirs auraient retenti dans toute la pièce, fait grincer des dents les autres clients et fracassé leurs verres de vin.

×××

C'est peut-être dans le clip de la chanson *Man That You Fear*, tirée d'un de ses premiers albums, que Marilyn Manson révèle le plus sa beauté.

Désigné pour être lapidé par une enfant-pythie dans un village à la fois surréel et suranné, Marilyn – visage triste et fragile, regard profond et aimant, que désormais je connais – fait ses adieux à sa femme enceinte, qui l'aide à se maquiller et à revêtir sa tenue sacrificielle, jusqu'à lui mettre un corset de cuir dont on la voit resserrer les lacets dans un plan de caméra simple et beau.

En 2005, lorsque je découvre cette vidéo qui date de 1996, écrire est devenu mon métier. Mais il y a autre chose : j'écris pour me créer une vie alternative. C'est ma manière à moi de faire du rock.

×××

Nos adieux sont tout simples. Nous sommes à l'aéroport d'Orly et nous nous embrassons comme des adolescents. Je me blottis contre son ventre. Il caresse mes cheveux.

Je crois que j'ai un peu envie de pleurer.

— *So long, Brian Hugh Warner. That was nice.*

— *Very. Will I see you if I come back ?*

— *I'll hate you if you don't.*

Il marche à reculons jusqu'à la porte d'embarquement, doux sourire aux lèvres. Il s'est maquillé et a collé sur sa joue une paillette bleu marin en forme de larme.

Je m'essuie les lèvres avec mon bras, émue et ravie d'y trouver les traces de son rouge gras et parfumé.

×××

J'avais trente-cinq ans. Je ne me masturbais plus dans mon lit en écoutant la musique de Brian ou en fantasmant sa présence à mes côtés. Quelque chose en moi s'était de nouveau éteint, sans que je sache vraiment pourquoi. Je me trouvais désespérément seule.

J'écrivais toujours, pourtant. J'étais même, désormais, une auteure publiée.

Je venais presque quotidiennement travailler dans le même café, rue Saint-Denis. J'espérais chaque fois la rencontre qui me sortirait de mon indécrottable isolement. Je savais bien que Brian Hugh Warner ne pouvait plus rien pour moi. Plus à mon âge.

Un jour, quelque chose dans la teneur de l'air que nous respirions, dans l'ambiance du café, a changé. Il m'a fallu un instant pour comprendre. Mais c'était ça, c'était bien ça : à 8 h 45 le matin, quelqu'un avait mis un CD de Marilyn Manson, *The Golden Age of Grotesque*...

Everything has been said before, nothing else to say anymore...

... et ce quelqu'un a ainsi provoqué, fulgurantes, nos retrouvailles, à Brian et à moi.

Je suis allée voir le mec au comptoir, il me fallait absolument parler à celui qui était responsable de mon émoi. Il s'agissait d'un grand tatoué tout maigre, à lunettes, de quelques bonnes années mon cadet et dont j'apprendrais au fil des matins qu'il était lyonnais d'origine, débarqué depuis peu au Québec.

Il s'est mis à m'attendre tous les matins pour mettre un autre CD de Manson, me sourire, en discuter avec moi. C'est d'ailleurs lui qui, au fil des jours, devait me faire connaître *Man That You Fear*.

Nous nous draguions gentiment et, à son insu, j'ourdissais sur papier une histoire digne de l'incroyable coïncidence de notre rencontre.

Tout ça jusqu'au jour où une minette d'une bonne dizaine d'années de moins que moi s'est présentée, pseudo-dessinatrice sans talent qui lui a fait du charme avec la subtilité d'une truelle... charme auquel il a cédé, comme un con. Il a même été jusqu'à renier Marilyn Manson et à dire à la minette (il chuchotait mais j'ai tout entendu) que c'était pour faire plaisir à « la dame » de la table là-bas – donc, moi, j'étais pour lui une « dame » ! À trente-cinq ans ! Il a dit en catimini qu'il allait toutefois devoir trouver une manière de me faire comprendre qu'il en avait assez des interminables analyses qu'il devait se farcir chaque fois que je passais devant son comptoir ou qu'il venait me servir mon café. J'étais bien gentille et il constatait bien ma solitude, mais tout de même, Manson, c'était *has-been*. Pas si mal, mais vraiment dépassé. Et puis voilà, j'étais « relou » et sans doute un peu « perchée »...

Don't break my heart, don't break my heart, or I'll break your heart-shaped glasses...

J'avais pourtant toujours su à quoi m'en tenir avec les hommes. Comment avais-je pu l'oublier ?

Le lendemain, j'ai changé de café.

Je me suis procuré de quoi écouter ma musique partout, à ma guise.

Pendant de longues semaines, je suis restée muette, une panne d'écriture comme je n'en avais jamais connu. Je me suis donc replongée dans les albums de Brian en buvant des litres de café au lait, espérant que ça ferait revenir la flamme. J'avais l'impression de vieillir de dix ans chaque semaine. De dépérir. Et sa musique, qui était pourtant un baume, n'avait plus le même pouvoir sur moi. Il ne m'apparaissait plus lorsque je me couchais le soir, écouteurs enfoncés sur les oreilles, ses albums à tue-tête. Mais ses chansons me transportaient toujours. C'était immuable.

Rock is deader than dead, shock is all in your head...

Et un jour, comme ça, tout simplement, la solution m'est apparue, lumineuse. Pourquoi n'y avais-je pas pensé plus tôt? Je devais recommencer à écrire. Sur lui. C'est ainsi que je devais le convoquer, désormais.

Alors je me suis mise à raconter comment, en 2015, quand Marilyn Manson et moi serions tous les deux des quadras fatigués, nous allions nous rencontrer un soir de concert. Et comment ça nous sauverait. Comment notre fulgurante rencontre nous permettrait de découvrir, derrière le visage vieilli que nous verrions désormais dans le miroir, toujours vivants et éternellement jeunes, le glam-rockeur contestataire et la fille des *nineties*.

Montréal, été 2005

Isabelle Laflèche

L'Hôtel Vice Versa : luxe et plaisirs clandestins

Estelle a tout pour plaire, mais aujourd'hui, elle se sent triste.

Assise sur la banquette arrière de la limousine qui l'attendait à Charles-de-Gaulle, elle soupire de lassitude en jetant un regard désintéressé à son portable. Pourtant, elle occupe un job de rêve comme directrice des communications d'une chaîne de grands magasins de renommée internationale. Responsable de l'image de la marque, elle a un horaire chargé : rédiger les communiqués de presse, répondre aux questions des journalistes, rencontrer des clientes VIP à toute heure du jour pour satisfaire à leurs besoins. De plus, elle doit gérer les multiples comptes de réseaux sociaux de la maison. Son mandat ? Augmenter le nombre d'abonnés, repérer les tendances, favoriser les échanges et générer des ventes. Grâce à son travail acharné depuis quelques années, Estelle trône sur les réseaux sociaux avec plus d'un demi-million d'abonnés sur Twitter et Instagram. N'empêche que depuis quelque temps, elle rêve de débrancher. Devenue esclave de ses nombreux gadgets, elle ne pense qu'à une chose : ignorer les innombrables sonneries afin d'assouvir des désirs qui ne relèvent pas du numérique.

Elle croise élégamment ses longues jambes, dépose ses mains sur sa jupe de cuir et observe son teint blafard dans son miroir de poche. Malgré sa crinière de fauve, ses yeux noisette et son regard félin à faire fondre les glaciers, ce qu'elle aperçoit avant tout dans la petite glace, ce sont ses cernes. À l'aide d'un pinceau, elle essaie de les dissimuler avant son arrivée à l'hôtel, mais y renonce vite et décide de ranger son maquillage au fond de son sac. *Ce n'est pas la peine, il n'y a personne à qui plaire*, se murmure-t-elle. Et ses sous-vêtements Agent Provocateur en soie et dentelle ? *Ça non plus, ça ne sert à rien*, se dit-elle, un avis que le chauffeur ne semble pas partager, lui qui ne cesse de la reluquer dans son rétroviseur, fixant davantage le haut de ses cuisses que la route devant lui.

Estelle passe la majorité de son temps dans ses valises. Entre Montréal, Milan, New York et Paris, elle court au rythme effréné des semaines de la mode, le nez collé à son téléphone. Mais aujourd'hui, y'en a marre des écrans tactiles. Ce dont elle a surtout envie, c'est être touchée, elle.

Pour se détendre, elle enlève un escarpin et se masse doucement le pied. Malgré son boulot de dingue qui l'oblige à se déplacer à toute allure pour assister à d'innombrables lancements, elle mène sa vie en chaussures dernier cri. Voilà un des avantages de son travail : elle possède une garde-robe de rêve, offerte par la maison pour faire mousser ses ventes en ligne ; mais au plus profond d'elle-même, elle aimerait porter un vêtement qui n'ait pas été fourni par son employeur, déguster un repas sans songer à le prendre en photo et, surtout, sentir le corps d'un homme contre le sien sans être dérangée par la sonnerie de son téléphone.

À travers la vitre du véhicule, son œil capte une grande affiche annonçant le Salon de l'érotisme qui a lieu cette semaine à Paris, ce qui lui met un sourire aux lèvres. Le tintement de son portable interrompt ses pensées et lui indique qu'elle a reçu un texto de son patron, qui veut discuter de la prochaine campagne publicitaire de l'entreprise. Réponse immédiate de sa part : « Je vous rappelle dès mon arrivé à l'hôtel. » Rapidité et efficacité, les clés de sa réussite, lui ont d'ailleurs valu une généreuse prime en fin d'année.

— Vous êtes ici pour le salon, mademoiselle ? lui lance le chauffeur d'un ton inquisiteur en lui décochant une œillade un brin provocante.

— Peut-être, répond-elle, sourire en coin. Qu'en pensez-vous ? ajoute-t-elle d'un ton narquois en repoussant ses longs cheveux derrière son pull de cachemire rouge.

— Je pense que vous pourriez en être l'égérie. Vous êtes très séduisante.

— Merci, monsieur.

Le compliment la ravit. En fait, elle préférerait aller au salon afin d'y dénicher des objets de plaisir et un compagnon de jeu plutôt que de se taper une autre semaine de la mode en compagnie de ses collègues, dont certaines peuvent être franchement insupportables.

Elle se remémore avec un brin de nostalgie sa dernière conquête amoureuse qui, à son grand désarroi, remonte à presque un an, lorsqu'elle avait croisé John, un élégant journaliste attitré aux voyages et rattaché à un quotidien de Toronto. C'était lors d'un souper de gala au Waldorf Astoria, à New York, pour la sortie d'un parfum Tom Ford. John avait accepté de remplacer une collègue du cahier Mode qui avait eu un empêchement de dernière minute.

Pour l'occasion, Estelle portait une tenue de la dernière collection de Ford, styliste reconnu pour ses vêtements ultra-sexy : un combiné pantalon noir échancré jusqu'à la taille, laissant entrevoir ses cuisses jusqu'à ses fesses.

Elle repense à John, son voisin de table, suavement parfumé d'un musc aguicheur qui l'avait enivrée dès leur premier contact. En effet, John l'avait embrassée sur la joue avec un peu plus d'insistance que la politesse ne l'exige. Pendant le repas, il avait charmé Estelle avec des histoires de voyage farfelues et un sens de l'autodérision irrésistible. Elle se souvient encore du léger sourire en coin du journaliste qui, après s'être envoyé quelques flûtes de Veuve Clicquot au moment du dessert, avait lentement et délicieusement glissé son doigt le long de l'échancrure du pantalon d'Estelle, et ce, à l'insu des autres invités attablés, la faisant rougir sur sa chaise de bal.

Après un hochement de tête discret, tous deux s'étaient éclipsés aux toilettes. Dans un élan passionné, John avait déchiré les bas d'Estelle puis appuyé les paumes sur ses cuisses, remontant lentement mais fermement le long de ses jambes interminables. Petit à petit, il avait fait grimper ses doigts vers son sexe, faisant gémir Estelle et la rendant folle d'excitation. Elle avait à son tour inséré sa main dans le pantalon de John et ressenti un plaisir fou à serrer sa verge gorgée contre son ventre. Après s'être fait surprendre par une employée de l'hôtel, ils avaient filé dans la suite d'Estelle et, pour maintenir le cap sur leurs préliminaires, s'étaient envoyés en l'air sur le comptoir de la salle de bains. Ils avaient dû se quitter tôt le lendemain car elle s'envolait pour l'Asie. Estelle avait tenté de revoir John mais leurs horaires déments et leurs nombreux voyages avaient rendu impossibles leurs rencontres coquines. John lui avait suggéré des ébats virtuels sur Skype mais ces échanges à distance étaient décevants et elle y avait rapidement mis fin.

La rêverie d'Estelle est interrompue par son arrivée devant le Vice Versa, un hôtel situé dans le quinzième arrondissement, recommandé par un *follower* sur Twitter. Estelle avait demandé conseil à la twittosphère, car elle tenait à s'évader du sempiternel Plaza Athénée, cet établissement cinq étoiles un peu crispé de l'avenue Montaigne où logent toujours ses collègues *fashionistas*. Elle recherchait une ambiance un peu plus décontractée et plus moderne. Selon les dires de son adjointe Karine, qui avait fait le tri des recommandations et effectué quelques recherches, le décor du Vice Versa était signé Chantal Thomass, la reine parisienne des dessous affriolants. Ainsi, chaque chambre était décorée sur le thème d'un des sept péchés capitaux, ce qui avait convaincu Estelle de réserver.

Un frisson traverse le corps d'Estelle sitôt le pied posé dans le grand hall blanc immaculé. Elle qui a accès aux hôtels les plus *jet set* du monde ressent une ambiance plus sensuelle ici qu'ailleurs. Des ailes d'ange et des luminaires en forme de licorne sont accrochés aux murs et une musique envoûtante joue en fond sonore. C'est exactement le style d'endroit qu'Estelle recherchait pour sa semaine à Paris.

Après un *check-in* rapide, elle se dirige vers sa chambre pour y déposer ses valises et faire quelques appels. Une fois franchi le seuil de la porte, elle glousse comme une gamine le jour de Pâques en y découvrant le thème choisi : la gourmandise. Son lit aux allures d'énorme macaron et une jolie chaise en forme de cupcake la font rigoler. Elle s'imagine se prélassant sur ce lit divin en sous-vêtements Chantal Thomass en se rappelant la chanson écrite par Serge Gainsbourg pour Jane Birkin, *Les Dessous chics*. Ce pourrait être l'hymne officiel de l'hôtel.

L'arrivée d'un texto la ramène vite à la réalité. Elle sort son portable et trouve un autre message de son patron lui demandant de l'appeler, ce qu'elle fait sur-le-champ. Après une discussion à propos de la prochaine campagne publicitaire, il avise Estelle qu'une journaliste de Dubaï désire la rencontrer dans le courant de la semaine. Après avoir raccroché, elle envoie un message à cette femme pour prendre rendez-vous, un échange de courriels s'en suit pour convenir de la journée idéale.

Au moment où elle entre dans la douche, son téléphone sonne de nouveau. C'est sa collègue Erika qui lui annonce que Taylor Swift a été aperçue ce matin faisant son shopping dans leur magasin de la Cinquième Avenue à New York. Estelle partage aussitôt la nouvelle sur ses réseaux, photo de Taylor à l'appui, et s'éclipse sous la douche pour s'accorder un court répit. Sous l'eau chaude qui caresse sa peau, elle essaie de s'imaginer le décor des autres chambres, plus particulièrement celle de la luxure; elle aimerait volontiers découvrir à quoi peut ressembler une chambre créée en l'honneur des plaisirs charnels immodérés. À peine quelques minutes plus tard, son portable sonne encore. Étourdie par ce tintement continu et par le décalage horaire, elle se rappelle alors les paroles de Gainsbourg: « Les dessous chics, c'est une jarretelle qui claque dans la tête comme une paire de claques... » Cela exprime tout à fait ce qu'elle ressent. Estelle se dépêche de sortir de la douche, se frotte les tempes doucement avec sa serviette et prend le message : c'est Julie, une autre collègue, qui veut confirmer l'heure et l'endroit du dîner de ce soir. Un doute lui traverse l'esprit : *ai-je vraiment envie de sortir ?* Elle se dépêche de répondre afin de se débarrasser de cette pensée. Après tout, Estelle doit y être pour souligner l'arrivée de la nouvelle collection de prêt-à-porter.

Elle enfile rapidement un sweatshirt, une mini jupe couleur argentée Alexander Wang et des baskets. Comme elle devra arborer l'uniforme de rigueur pendant la soirée – robe élégante et talons hauts –, autant en profiter pour bosser en portant un look décontracté et amusant. Elle se dirige ensuite vers le hall avec son ordinateur pour répondre à ses courriels et prendre un verre.

— Vous demeurez à l'hôtel ? lui demande le serveur après qu'elle eut pris place au Honesty Bar et commandé à boire.

Estelle répond d'un hochement de tête.

— Dans quelle chambre logez-vous, mademoiselle ?

— La 108.

— Ah ! elle vous sied à merveille, rétorque-t-il avec un clin d'œil et un air enjoué.

Il observe Estelle en souriant. Son regard rêveur, ses épaules carrées et ses cheveux blonds bouclés laissent Estelle un peu rêveuse à son tour.

— Peut-être le savez-vous déjà, mais vous pouvez télécharger notre application mobile si vous souhaitez découvrir les nombreux plaisirs que nous offrons à nos hôtes. Cela vous permettra de profiter de nos services et de commander quelques articles : champagne, pétales de rose, masque pour les yeux et huiles de massage, par exemple. Et je me permets de vous suggérer notre spa, décoré aux couleurs de l'enfer. Il est très amusant. Vous voudrez certainement y faire un tour, lui lance-t-il, laissant entendre une invitation plutôt qu'un conseil.

La dernière chose dont Estelle a envie, c'est une autre raison de pianoter sur son téléphone, mais l'application semble très prometteuse. Et une virée avec le serveur dans la chambre de la luxure et dans le spa aussi.

— J'en prends bonne note, merci.

Elle lui sourit en pensant à toutes ces choses qu'elle pourrait commander en ligne. Après le départ du serveur, elle remarque les autres clients au bar : un homme d'affaires qui lit son journal devant un martini, un jeune hipster concentré sur son portable et quelques jeunes femmes qui sirotent du thé.

Dès l'ouverture de son ordinateur, Estelle est submergée par une vague de courriels, de messages et de notifications sur ses diverses plateformes. Elle prend une grande respiration suivie d'une longue gorgée de vin et se lance dans une séance de promotion digne des plus grands noms de Madison Avenue. Après avoir commandé un deuxième verre de rouge, elle devient plus loquace et son sens de l'humour mordant, combiné à des photos de starlettes en robes de soirée échancrées, attire beaucoup d'attention. Elle partage la photo d'une top-modèle dans une tenue de la plus récente collection de la maison, lance un débat virtuel intitulé *Qui porte mieux la robe ?* sur ses réseaux, et sursaute en voyant un message Facebook apparaître à l'écran : « Vous êtes belle à croquer. Rendez-vous à la chambre 409 ? » Le message ne dit rien d'autre et provient d'un compte portant le nom D'Il Diavolo. On dirait un faux profil : il n'y a aucune photo ni information personnelle.

Prise de court par ce mystérieux envoi, elle jette un coup d'œil discret autour d'elle pour essayer d'en découvrir l'auteur. Qui aurait pu l'expédier ? « Qui êtes-vous ? » répond-elle alors que quelques visages lui viennent en tête. Elle repense aux hommes qu'elle a côtoyés récemment : de nombreux photographes, graphistes et publicitaires. *Impossible, ils sont tous basés à New York ou à Los Angeles*, se dit-elle. Est-ce un employé de l'hôtel ? Le serveur qui flirtait avec elle il y a à peine une demi-heure ? L'adorable hipster scotché devant son écran ou l'homme d'affaires à sa gauche qui tapote sur son portable ? Curieuse, elle se demande qui a pu faire preuve d'autant d'audace et à quelle chambre thématique cette invitation peut bien mener. Un brin suspicieuse, Estelle ne peut s'empêcher de penser qu'il s'agit soit d'une mauvaise blague, soit d'un fêlé qui lui veut du mal. Elle jette un regard sur sa jupe courte et se dit qu'elle n'aurait pas dû s'habiller ainsi : quelqu'un doit la prendre pour une pute de luxe. *Merde !* Elle songe ensuite au chauffeur de taxi qui la reluquait dans la limousine et se fige sur place. *Non, non, calme-toi, Estelle, c'est impossible, il ne connaît pas ton nom.*

« N'ayez crainte, mademoiselle, je suis quelqu'un qui ne cherche qu'à vous offrir du plaisir, du vrai et du bon. Faites-moi confiance... Vous ne serez pas déçue... » Après un coup d'œil rapide à son portable constellé de messages, Estelle engloutit son deuxième verre d'un trait. Contrairement à ce que lui dictent sa conscience et son éthique professionnelle, aujourd'hui elle décide de faire passer son plaisir en premier et trouve le courage de répondre : « Entendu. À quelle heure ? »

« Pour le cinq à sept, bien évidemment », lui répond-on. Estelle n'est pas sans savoir qu'en France, le cinq à sept est souvent réservé aux rendez-vous clandestins. Elle consulte sa montre : il n'est que trois heures et demie, ce qui lui laisse suffisamment de temps pour remonter à sa chambre se refaire une beauté avant de rencontrer le mystérieux inconnu. Prise d'un élan incontrôlable de spontanéité et de curiosité, elle éteint son ordinateur et se dirige vers l'ascenseur en chantonnant la reprise d'*Ella, elle l'a* par Kate Ryan : « *Elle l'a... ce je n'sais quoi que d'autres n'ont pas... qui nous met dans un drôle d'état...* » Au moment où les portes de l'ascenseur se referment, les joues d'Estelle deviennent aussi rouges que ses ongles. Elle se demande à quel péché elle va succomber et se surprend à mouiller son string de dentelle. Elle en conclut qu'une connexion wi-fi, c'est vachement utile pour autre chose que le travail et que son choix d'hôtel est excellent.

×××

Estelle demeure immobile devant le placard de sa chambre à étudier les possibilités : un manteau de cuir rouge et des collants Wolford noirs ? Une robe asymétrique métallisée à longue échancrure ? Une nuisette de dentelle noire signée Givenchy ? Une robe de dentelle rose Dolce & Gabbana ? Elle décide de porter un body en jersey de soie lacé et une jupe noire décorée de pampilles de soie. Elle sort son fer à friser et boucle sa crinière pour ajouter du volume à ses cheveux. À l'aide d'un pinceau, elle trace une ligne noire au-dessus de ses paupières à la Lana Del Rey, se peint les lèvres en rouge et se donne un coup de fard à bronzer, question de se donner un teint d'amazone. Estelle est bien documentée sur l'art de la séduction, elle qui suit les faits et gestes des starlettes sur Internet et connaît toutes leurs astuces. Elle contemple fièrement son travail d'artiste dans la glace et se dit que ça en valait la peine, que, pour une fois, ce n'est pas pour plaire aux internautes mais pour une cause bien plus digne de ses efforts.

À 16 h 45, elle débouche une mini-bouteille de champagne afin de dissiper ses doutes et ses inhibitions. Elle se regarde dans le miroir une dernière fois et lève son verre. *Allez, ma chérie, à toi et à tes pulsions*, murmure-t-elle en imaginant toutes ses collègues débarquer à l'autre hôtel. Elle se décoche un sourire narquois et un regard de panthère qui admire sa proie. Elle jette son portable sur le lit avec nonchalance, dépose sa flûte et claque la porte, laissant traîner derrière elle un sillage du parfum *Jeux de peau* de *Serge Lutens*, ce qui annonce bien ses intentions libertines et ses désirs les plus profonds.

×❈×

Estelle monte au quatrième et cogne à la porte n° 409, qui est légèrement entrouverte. Comme il n'y a pas de réponse, elle décide d'entrer. L'obscurité règne dans la pièce, à part un faisceau de lumière qui illumine le mur du fond où, au-dessus du lit, apparaissent des images de bijoux, de flacons de parfum, de montres, d'escarpins, de sacs et de pochettes, le tout disposé dans un dressing en trompe-l'œil. Estelle remarque un dessin de collier de perles sur la moquette et, compte tenu de tous ces objets de convoitise, en déduit qu'elle se trouve dans la chambre décorée sur le thème de l'envie.

Estelle attend une dizaine de minutes et devient rouge de honte en se disant qu'elle est peut-être la victime d'un canular. Au moment où elle s'apprête à partir, elle voit entrer dans la chambre un homme dont la tête est entièrement couverte d'un masque de démon. Il est vêtu d'un habit griffé sous lequel elle devine un corps athlétique. Au lieu de l'effrayer, cette vision l'excite. Elle croit y déceler un petit clin d'œil au décor du spa de l'hôtel et repense au serveur sexy du hall de l'hôtel. Elle est ravie : c'est lui qu'elle espérait le plus retrouver dans la chambre. Elle se sent tout de suite plus à son aise et décide gaiement de se laisser entraîner. L'homme s'approche d'elle, lui prend le bras et pointe le lit. Comme une bonne élève, Estelle s'y rend et s'y assoit. Dans la pénombre, il avance et s'agenouille devant elle. D'un geste ferme, il lui empoigne les chevilles et lui écarte les jambes, laissant entrevoir le haut de ses bas noirs et son body de soie. Estelle frémit de désir à la suite de ce geste inattendu. Elle souhaite que l'inconnu glisse ses mains vers le haut de sa jupe et remonte vers son sexe, mais il lui enlève ses escarpins à talons et, à sa grande surprise, il exhibe une boîte cachée sous le lit. Il en déballe le contenu, emballé dans du papier de soie couleur chair, et fait voir une paire de chaussures à talons aiguilles de dix centimètres signée Giuseppe Zanotti. Ce sont des talons vertigineux à clous comme elle en porte rarement, faute de pouvoir déambuler dans de telles œuvres d'art. Un doute s'installe en elle : est-ce réaliste qu'il lui ait acheté un cadeau si luxueux ? Elle se dit que ce n'est probablement pas le serveur ni le jeune hipster non plus mais plutôt l'homme d'affaires aperçu plus tôt au bar, ce qui lui convient tout à fait. Il est sans doute expérimenté et possède de toute évidence un goût exquis. Ce ne sont pas des stilettos de luxe dont elle a envie mais de lui.

Après avoir glissé les chaussures aux pieds d'Estelle, il tient les longues jambes de celle-ci écartées et encercle ses chevilles de ses mains, qu'il fait fermement glisser le long de ses mollets, puis vers ses genoux. Il les pose ensuite sur ses cuisses et effleure le haut de ses bas. Estelle penche la tête vers l'arrière ; elle bout littéralement d'anticipation. Elle souhaite que ces mains agrippées à ses jambes continuent leur trajectoire, mais elles s'arrêtent net.

L'homme attrape le poignet droit d'Estelle et la relève du lit d'un trait. Après avoir jeté un coup d'œil dans l'œil magique pour s'assurer qu'il n'y ait personne dans le corridor, il ouvre la porte et entraîne Estelle dans l'ascenseur, appuie sur un bouton avec son coude en maintenant ouvertes les jambes de la jeune femme à l'aide d'un genou. Il respire dans le creux du cou d'Estelle, qui en perd tous ses moyens, ses longues jambes ramollissant de désir. Elle se sent défaillir, mais il la retient en l'appuyant contre la cloison de l'ascenseur. Elle voudrait lui arracher son masque, goûter ses lèvres et lui mordre le cou, mais aussitôt la porte ouverte, il la guide vers une autre chambre. Elle comprend enfin son petit jeu : il lui fera découvrir un autre péché. Complètement sous l'emprise de l'inconnu, elle se doute que le prochain péché de cet interlude sera capital.

Sitôt entrés dans l'autre chambre, Estelle remarque des tableaux graffités, une mosaïque scintillante à motif de tête de mort sur le sol et des éclairs qui fusent sur les armoires et sur les miroirs. Elle voit l'inscription « Bang bang, my baby shot me down » griffonnée au plafond. Ils sont dans une ambiance noire et violette. Debout devant l'homme, jambes écartées comme celles d'un soldat, Estelle est prête à s'abandonner tout entière dans la chambre de la colère.

L'homme la prend par la taille et remonte ses mains vers ses seins, qu'il emprisonne un instant sans bouger. Elle meurt toujours d'envie de lui retirer son masque et son pantalon. Elle s'approche, appuie sa main sur le sexe de l'inconnu et le caresse ; il devient dur. La respiration de l'homme se fait plus courte, plus saccadée. Elle sourit : elle souhaite qu'il la pénètre sans plus attendre. Cependant, d'un geste brusque, il la renverse sur le lit, puis l'entraîne avec lui sur le tapis. Il plaque les avant-bras d'Estelle au sol et, à travers son masque, fait sentir sa respiration le long de son corps sans la toucher. Il glisse ses mains le long des jambes d'Estelle et son masque frôle sa mâchoire. La chaleur qui se dégage de la bouche de l'inconnu enivre la jeune femme. Elle a envie de darder sa langue vers la sienne mais il s'empresse de faire descendre sa tête le long de son cou, s'arrêtant tout près de ses seins. Il presse son genou contre la cuisse gauche d'Estelle et caresse son autre jambe avec un fouet qu'il fait glisser de haut en bas. Elle ne se demande plus qui est cet homme mais pourquoi il ne se décide pas à mettre fin à cette excitation à la fois pénible et divine.

Il enlève sa veste, la lance sur le côté du lit et remonte la jupe d'Estelle d'un seul coup. Il fait glisser ses doigts pour enfin détacher le bouton qui retient le body. Plutôt que de caresser le sexe humide de la jeune femme, il la soulève et l'entraîne vers la porte. Une fois de plus, l'inconnu a bien joué : elle ressent de la colère à se faire provoquer ainsi. Une autre chambre les attend. Estelle espère que cette fois-ci, ce sera la dernière, car elle n'en peut plus.

Il appuie sur le bouton « 6 » de l'ascenseur et elle soupire de bonheur, se rappelant que c'est l'étage thématique de la luxure, celui où, elle l'espère, il l'emmènera enfin au septième ciel. Pendant que l'ascenseur monte, l'inconnu la retourne et la plaque face contre la porte. D'une main, il repousse sa longue tignasse brune pendant que, de l'autre, il remonte jusqu'à son sexe trempé, laissant Estelle de nouveau haletante. Il reste collé derrière elle. Totalement enivrée, jambes flageolantes, Estelle plaque ses mains contre la porte pour maintenir son équilibre et éloigne le bas de son corps de la cloison. Juste avant que l'ascenseur ne s'arrête, il la pénètre avec un doigt qu'il fait glisser lentement et délicieusement. Estelle pousse un gémissement de plaisir. En sortant, ils croisent un couple qui les observe attentivement ; les deux clients de l'hôtel leur lancent un regard rieur, comme s'ils devinaient ce qui vient tout juste de se passer. Estelle n'a même pas le temps de rougir, car l'inconnu la dirige fermement vers la chambre au bout du corridor. Le décor rose et noir est propice : miroir au plafond, vasque de lavabo en forme de cœur. Au-dessus de la tête de lit ornée d'un motif de dentelle trône une photo de nu signée Ellen von Unwerth. Silhouettes féminines suggestives dessinées sur les murs. Tout évoque la féminité et la sensualité.

— S'il vous plaît, je n'en peux plus, laisse échapper Estelle pendant qu'il la mène vers la salle de bains.

Désirant le sentir à tout prix en elle, elle enlève une de ses chaussures, fait glisser le talon dans une ganse du pantalon de l'inconnu et le tire vers elle. Elle remet son escarpin et se penche vers l'avant, se tient des deux mains au comptoir de tuiles roses et sourit lorsqu'il enlève son pantalon et la pénètre enfin. Juchée sur ses chaussures Zanotti, elle retire son body pendant qu'il remonte et descend en elle à petits coups fermes tout en glissant ses mains sur les seins d'Estelle. À deux doigts de s'affaisser de plaisir, juchée sur ses talons vertigineux, elle se laisse tomber vers l'avant, et c'est à ce moment qu'elle jouit. Son partenaire mystérieux fait de même, les deux fondant l'un sur l'autre dans le noir.

— Ouf !! C'est tout un cinq à sept, mon cher !

Une voix étouffée par le masque lui répond :

— Ce n'est pas terminé, mademoiselle.

— Ah bon ?

Étourdie, elle ne sait plus quoi penser.

Il remet son pantalon, récupère la jupe d'Estelle et, une fois rhabillés, il la guide vers une autre chambre. Ils arrivent au cinquième étage dans une chambre décorée d'un plafond de ciel bleu, avec un immense luminaire en forme de perchoir à oiseaux. Des papillons multicolores sont dessinés sur les murs.

— Je ne reconnais pas le thème de cette chambre, dit Estelle. Elle représente quel péché ?

— La paresse.

— Ah ? Ça, je ne connais pas, répond-elle, faisant référence à son horaire plus que chargé. Elle a perdu toute notion du temps sans son téléphone et n'a même pas envie de savoir l'heure qu'il est.

— Moi non plus, je ne connais pas, mais il est grand temps d'y goûter, non ?

L'inconnu ouvre le placard et en retire une malle remplie de *sex toys* : des crèmes sucrées, des menottes, des vibrateurs et des plumes à caresses. Ébahie, elle ne sait plus où donner de la tête. Elle se demande qui aurait pu planifier de telles surprises et décide d'aller au fond des choses. Sans allumer la lumière de la chambre, elle glisse ses doigts le long du masque. Ses mains ne reconnaissent ni les cheveux bouclés ni les traits fins du serveur, ni la barbe du hipster, ni la coupe de cheveux mi-longue de l'homme d'affaires. Perplexe, elle décide de retirer le masque d'un coup. Sidérée, elle reconnaît John, le journaliste torontois.

— *Oh my god!* John? C'est toi? Je n'en reviens pas!

Estelle s'exclame, les deux mains collées sur sa bouche comme le font la plupart des participants aux émissions de télé-réalité.

— C'est incroyable, mais je ne t'ai pas reconnu! Qu'est-ce que tu fais là?

— Je suis ici pour le Salon de l'érotisme. Le journal m'a demandé d'en faire la couverture.

— Et j'en remercie le ciel! Ou devrais-je dire: l'enfer?

— Je suis venu ici avant tout pour te voir. Je te suis sur Twitter, tu sais.

— C'est toi qui as refilé le nom de l'hôtel à mon adjointe?

— *Of course, my dear.* Karine et moi étions de connivence.

— Wow. Je n'en reviens pas. Je n'ai rien vu de tout ça. Mais où as-tu déniché ce truc?

— C'était mon costume de bal masqué pour la campagne de financement annuelle du journal. C'est ma collègue de la section mode qui m'a invité.

— Laisse-moi deviner: tu portais un habit Prada?

— Exact, répond-il en lui faisant un clin d'œil.

Il pointe la malle remplie à craquer.

Estelle se met à rire en jetant un coup d'œil aux nombreux gadgets érotiques.

— Tu as reçu ces cadeaux au salon?

— Oui. Tu veux qu'on s'en serve? Nous n'avons pas terminé la tournée de l'hôtel. En tant que journaliste attitré aux voyages, j'ai accès à toutes les chambres réservées spécialement pour le salon, et il nous en reste quelques-unes à visiter...

Estelle imagine sa boîte de réception de courriels pleine à craquer et ses collègues attablées au restaurant en train de se demander où elle peut bien être passée. Au lieu de s'abandonner à la culpabilité, elle saisit le masque de John, le lui remet doucement sur la tête, prend la plume et repousse son compagnon sur le lit. Elle décide de prendre le diable par la queue et de se concentrer sur des tâches beaucoup plus agréables que ses obligations professionnelles.

×✱×

Quatre jours plus tard, après avoir profité de chaque recoin du Vice Versa et déjeuné avec la journaliste de Dubaï, Estelle remonte dans la limousine pour rentrer à la maison et décide de se remettre rapidement au travail. Assise sur la banquette arrière, elle empoigne son portable, retrouve des clichés du hall et du spa de l'hôtel, ouvre son application Instagram et y insère des photos. Elle y ajoute un petit mot: « Merveilleuse semaine de mode à Paris passée au @ViceVersa. Un séjour rempli de délicieuses découvertes et de surprenantes rencontres », laissant entendre qu'elle aurait assisté à quelques présentations et défilés.

Une heure plus tard, à son arrivée à l'aéroport, elle reçoit une réponse de l'hôtel : « Nous sommes ravis que votre séjour chez nous ait été aussi agréable et que la chambre thématique de la gourmandise vous ait plu. Sachez qu'il vous reste plusieurs autres péchés à découvrir. Nous serons heureux de vous accueillir de nouveau très bientôt... »

Estelle pouffe de rire en ouvrant la porte de la voiture et en repensant à son rendez-vous clandestin.

Je serai de retour, c'est promis.

Stéphanie Boulay

Mammifères marins

Je suis partie en voyage toute seule pour la première fois de ma vie. Je venais de casser le cœur d'un garçon (Guillaume) qui était vraiment parfait, juste parce que j'étais moi-même cassée d'un garçon (Alexis) avec qui j'avais été longtemps. Je me rendais compte que ça n'avait pas été un bon amour, Alexis, finalement, et que ça m'empêchait peut-être de voir le bon amour dans Guillaume. C'est drôle (ou pas), se rendre compte qu'on a vécu des années entières sur du pas grand-chose quand on pensait vraiment que c'était la grosse affaire d'amour, ça remet des choses en question. Ça remet tout en question, en fait. En tout cas.

J'avais une idée qui ne partait pas, j'avais un projet : je voulais apprendre la plongée sous-marine. Je n'avais jamais fait de plongée, même pas avec un tuba, jamais enfilé de palmes dans mes petites pattes. Mais je voulais aller regarder au fond de la mer et essayer d'être chez moi là-dedans. Je voulais aller respirer sous l'eau, voir ce que ça me ferait. Voir si j'aimerais plus ça là qu'ailleurs, que partout ailleurs. Si j'aimerais plus les animaux aquatiques, une fois les yeux dans les yeux avec, que les animaux humains, qui me font un peu peur et me donnent mal au ventre depuis que je suis une grande personne avec de l'amour à trouver. J'avais choisi une île mexicaine trop touristique mais réputée pour ses récifs de coraux pleins de couleurs et de poissons, tortues, requins, murènes, langoustes, découverts un jour par Cousteau, merci Cousteau.

Je suis arrivée là, je n'avais rien réservé, même pas une chambre d'hôtel. Seule. Les douaniers, les conseillers touristiques, les chauffeurs de taxi, tout le monde me chicanait, j'étais une attraction. *Alone ? ¿ Solo ? Why ? ¿ Por qué ? Where are you going ? You don't know ? You don't have any friends here ?* Ça m'a rappelé qu'il n'y a rien de gagné nulle part par rapport au féminisme. On ne demanderait jamais ça à un homme qui voyage seul. Un homme qui voyage seul, ç'a l'air assuré, indépendant, libre, solide, sexuellement attirant. Une femme qui voyage seule, on se dit qu'elle est sûrement vraiment seule. Qu'elle est irresponsable en plus. Qu'elle va y goûter. Ça n'est pas très juste.

J'arrive dans un bar de l'île et je pleure un tout petit peu sur mon sort, je n'aime pas le centre-ville, il n'y a pas vraiment de plage avec du sable, bla bla, je suis un bébé lala. Je me choisis un hôtel au hasard parce que je suis trempée de sueur à force de marcher avec mon gros sac à dos et je me décide à regarder une carte et Internet pour voir s'il n'y aurait pas là quelques secrets sur des trésors inconnus loin du centre. Je loue finalement une autre place où dormir pas très chère pour le reste de la semaine, une suite pas à la mode, éloignée de la civilisation mais sur le bord de la mer. Je me rassure moi-même en me disant qu'il y a sûrement plein d'écoles de plongée là-bas et que, de toute façon, je ne suis pas obligée d'y aller, plonger, que personne ne va me chicaner sinon. Je pense aussi au destin, qui n'en a sûrement rien à sacrer de moi.

Le lendemain, la belle madame à la réception de mon nouvel hôtel me conseille l'école de plongée juste à côté. J'y débarque avec mon anglais-espagnol approximatif et me rends compte que la fille qui tient la place parle mieux le français que le reste des langues du monde.

— On est tous francophones ici, lis ton manuel du plongeur, tu commences demain, c'est Jean-Louis qui va te prendre, remplis tes papiers.

— Jean-Louis ? Il a quel âge ?

— Je sais pas, vingt-cinq ans ?

Pauvre Jean-Louis de vingt-cinq ans avec son prénom de Jean-Louis.

Jean-Louis est français. D'habitude, ils ne me font rien. Mais lui a quelque chose. Il arrive, me serre la main, et ses yeux sont d'une couleur qui n'existe pas, comme une couleur de vêtement vert-gris avec des grosses mailles qu'on voit à travers, délavé mille fois à la laveuse-sécheuse. Il a sa combinaison de plongée rabattue aux hanches, un nœud en arrière avec les manches, et son début de fesses est un peu à la vue. La courbe de son bas de dos est bonne, je veux dire, elle me fait quelque chose. Il est juste un peu arrogant, il sait ce que sa courbe de dos fait aux filles, je le sens beaucoup. Sa peau est d'une couleur et d'une texture qui n'existent pas plus. Entre le caramel et le café avec du lait comme je l'aime, et pas beaucoup de poils, ç'a l'air très très doux sous les mains et sur la joue.

Je passe proche de le caresser pour voir mais je me retiens juste à temps, comme toutes les fois où je tends ma main pour flatter les cheveux des filles devant moi dans le métro. J'arrête toujours avant de toucher en me rendant subitement compte que ça ne se fait pas vraiment.

Il a des mèches.

Je ne peux pas dire qu'il est beau. Je peux dire qu'il est beau *quand même*.

Mais nous deux, ça ne peut pas marcher.

Je me répète que ça va, qu'il est trop petit, plus jeune, que je n'aime pas sa voix, qu'il est français et instructeur de plongée, qu'il a donc sûrement vu plus de filles toutes nues que de mammifères marins rares. Nous deux, ça ne peut pas marcher.

Et on descend dans la piscine après avoir enfilé nos costumes trop lourds. Je suis maladroite avec l'équipement, je me mélange dans les tuyaux de mon détendeur, je n'arrive pas à descendre au fond même avec les poids, je nage dans tous les sens sans savoir me contrôler. Jean-Louis rit sous l'eau, ça fait drôle, les bulles qui n'arrêtent pas, mais je ne ris pas, moi, je respire trop vite dans mon régulateur. Je suis tout étourdie, ma gorge est serrée et j'ai mal au cœur. Je suis certaine que je suis moche avec le truc dans la bouche qui me fait comme un appareil dentaire.

Nous deux, ça ne peut pas marcher, que je me répète une fois qu'on est revenus à la surface et qu'on se regarde sans les masques mais avec les marques rouges en souvenir autour des yeux. C'est juste un garçon comme les autres garçons, comme tous les autres qui ne me font rien, même pas un pli.

— Si tu loupes le dernier exercice, tu me devras une bière, ma petite Fanny.

— Toi, j'aimerais ça t'appeler juste Jean, j'aime mieux ça. Ça va, Jean ?

Je n'arrive pas à me décider entre échouer et la bière ou réussir et l'honneur. De toute façon, les questions ne servent à rien parce que je manque mon coup. Mais Jean(-...) ne reparle pas de la bière après qu'on est sortis et il s'en va dans son taxi après avoir remonté ses cheveux dans les airs comme le faisait mon amoureux en secondaire quatre.

Moi, je retourne dans ma chambre et je ris, je ris, je n'arrête plus, c'est incontrôlable. C'est un rire très bon à vivre, c'est comme un sourire exagéré, trop grand pour la bouche et qui déborde. Et je ris de ma maladresse et je ris de honte et je rougis toute seule dans ma suite du Villa Blanca Hotel et j'ai hâte au lendemain et pas hâte, puis je me juge et finis par me calmer, puis par déborder encore jusqu'à la fin de la soirée, en lisant ma théorie de la plongée sous-marine.

« L'expansion de l'air peut provoquer de graves blessures aux poumons (rupture). [...] Même de légers changements de pression – il suffit d'un mètre/2 ou 3 pieds – peuvent entraîner des blessures si on remonte en retenant son souffle. Les blessures aux poumons dues à une expansion excessive sont difficiles à traiter et peuvent entraîner la paralysie et la mort [...][1]. »

Quand je me couche, je n'arrive pas à dormir, je pense à Jean(-...) et à sa peau comme une peau d'animal marin que je voudrais caresser avec mes lèvres et le bout de mon nez. Ma pensée est ludique, je m'imagine lui faire du bien à Jean(-...) le plongeur, prendre ses cheveux du bout des doigts et les tirer doucement, flatter aussi son oreille, tourner autour de son nombril avec mes ongles courts et embrasser ses paupières en prenant les cils avec ma bouche, délicatement, et aussi cligner des cils sur les siens pour les chatouiller. Je me caresse lentement par-dessus mes petites culottes en me passant le film dans la tête. Je ne pense pas à jouir, je pense à être douce et à donner de la tendresse à ce garçon que je ne connais pas mais qui a du bon dans ses yeux qu'on voit au travers. Puis, plus tard, pendant que je m'endors, je pense aussi à être à genoux

---

1. *Open Water Diver Manual,* Professional Association of Diving Instructors (PADI), Rancho Santa Margarita (Californie), 1996, p. 29.

par-dessus lui, à mettre mes seins prisonniers dans mon maillot triangle humide à la hauteur de son visage et à les balader sur ses joues, puis à les libérer et lui offrir froids pour qu'il les goûte, voir, s'ils sont salés comme je le pense.

Je passe toute cette nuit-là à réviser pour le lendemain, dans ma tête, pendant que je dors. Je le jure que c'est vrai. Je me réveille le matin et je suis comme neuve, prête, et je me souviens de tout.

« Si l'excès d'azote dissous dans les tissus est trop important, quand on remonte et qu'on fait surface, l'azote peut s'échapper [...]. Ceci entraîne la formation de bulles d'azote dans le sang et les tissus, comme celles qui apparaissent lorsqu'on ouvre une bouteille de boisson gazeuse [...]. Les signes et symptômes d'un accident de décompression [...] comprennent notamment paralysie, difficultés respiratoires, dans des cas graves, perte de connaissance et mort[2]. »

Je m'en vais faire ma première plongée dans le fond de la mer avec un homme que je trouve spécial et j'ai repris le contrôle de ma tête. J'arrive à l'école le nombril à l'air, pour faire exprès, je regarde Jean(-...) et je me dis *si tu savais ce que je t'ai fait hier en imagination*. Je me pense très bonne. Mais rien ne peut préparer un plongeur qui n'a jamais plongé à plonger. Rien ne peut expliquer ça, personne ne peut le décrire avec les

---

2. *Ibid.*, p. 192-193.

mots justes, ce que ça fait dans la poitrine et dans le bas du ventre. Je ne sais pas si la littérature en parle, je n'ai pas cherché. Mais je l'ai vécu. Je ne sais pas si c'est juste moi, mais je pense que non.

On se retrouve donc, Jean(-...) et moi, dans l'océan, avec les animaux aux dents coupantes et ceux à carapace et à coquille, avec les poissons-anges, les poissons-coffres et les poissons-vaches, à nager côte à côte comme si de rien n'était. Au début, Jean(-...) me suit de proche, il se colle à moi pour ne pas que je fasse de trucs cons, puis il voit que je fais bien tout ce qu'il faut et qu'il peut me laisser un peu. Je prends de l'avance sur lui mais pas beaucoup, il ne faut pas se perdre de vue. Je nage, le mouvement est naturel je crois, je me laisse partir avec le courant et Jean(-...) me suit, je veux être belle pour lui, avoir la bonne position, et être bonne pour lui. Je me retourne pour le revoir parce que je m'ennuie. Il me demande si tout est OK avec ses doigts, je réponds que oui avec les miens, de la même manière. On ne peut pas se parler avec nos bouches mais on se regarde tout droit dans nos yeux masqués, parce qu'il y a rien que ça qui dépasse de nos costumes, ça et puis les mains. Jean(-...) revient, me replace fermement, me prend une jambe puis l'autre pour en faire ce qu'il veut, il est arrogant, pas doux, et je me laisse manipuler. Il me tourne autour, me fait signe que c'est bien, maintenant. Et je me rends compte que je mouille. À dix mètres sous l'eau, je mouille, j'ai chaud entre mes cuisses d'apprentie plongeuse et je veux qu'il revienne me montrer comment bouger, qu'il revienne me toucher et m'apprendre à vivre sous l'eau. Une tortue géante passe juste à côté de nous, on la regarde tous les deux, c'est la plus belle chose que j'aie jamais vue de ma vie, sûrement. Jean(-...) attrape ma main pour m'aider à nager plus vite, pour m'emmener plus proche d'elle, la bête. Je le suis, je tiens ses doigts plissés très fort entre les miens pour ne pas le perdre. Il me fait signe : *c'est beau !*, je réponds *oui*. Un seul geste pour tout ce qui est oui, pour tout ce qui est bon, et on se comprend bien, et je mouille encore parce que c'est vraiment magnifique.

Et ça finit quand on remonte. Ça s'arrête tout seul. Je ne sais pas ce qui m'a pris. Je ne sais plus d'où c'est venu, du fond de mon ventre que je ne comprends pas. Je regarde Jean-Louis tout d'un coup, pendant qu'il enlève sa cagoule, et je ne lui trouve plus tant rien. Il a ses mèches. Je l'imagine chez le coiffeur avec les papiers d'aluminium sur la tête. Tout ça. On se dit *bonne fin de journée, bonne fin de journée petite Fanny, on se voit demain, tu me dois encore une bière, salut, salut.*

Ce soir-là, je m'ennuie du Guillaume que j'ai laissé derrière moi, à Montréal. Je pense à lui, je me dis qu'il est ce qu'il me faut, je me souviens de ses yeux bleus sans mailles dedans qui laisseraient passer des choses importantes. Et je décide de lui écrire, j'ai envie de lui. Jean-Louis, ça n'est rien, c'est du vent, du rêve de vacances, du fantasme d'écolière et de professeur-prince. On se parle en messages de quelques phrases, mon Guillaume et moi. On se confie qu'on veut écouter de la musique et faire l'amour ensemble à mon retour, se retrouver, laisser la vie aller un peu de notre bord et voir comme elle va. C'est beau, ça me fait du bien. C'est simple. Il m'écrit *tu es belle, j'aime ton cul, t'as un cul de rêve et je veux te le prendre*. Je réponds *oui mon bébé, mon bébé, je vais te le donner et te faire tout ce que tu veux*. Je sais que ça sera bon. J'y pense en me touchant pendant qu'on s'écrit encore. Lui : *je te veux, je te veux dans ma bouche, je veux boire tout ton jus et le prendre sur mon visage et mes mains*. Moi : *je veux te faire bander, te lécher, te sucer, la faire grossir, apprendre à la connaître mieux, te faire plaisir*. Et on se fait jouir en même temps, sans se voir, à tâtons dans nos mots, à des milliers de kilomètres de distance, et ça me semble être la meilleure chose à faire.

Sauf que ça empire à chaque plongée avec Jean(-...). On va de plus en plus loin, sans que ça paraisse trop trop. J'ai toujours froid dans l'eau, il me réchauffe en caressant mes bras. Il m'emmène là où il n'a pas le droit, dans les cavernes qui sont comme des abris, dans les profondeurs auxquelles je n'ai pas accès avec ma condition d'apprentie rien du tout. On rit toujours et ça fait encore des jets de bulles sans fin qui nous embrouillent les yeux. Des fois, quand il rit, je me place par-dessus lui, pour recevoir son air en pleine face ou entre mes jambes. J'ai envie de lui grimper dessus.

Mes réserves d'oxygène se vident rapidement vu que je dépense beaucoup d'énergie à le vouloir et à le chercher. Il agace les animaux, même les dangereux. Il m'agace aussi, il essaie de me faire peur. Il veut m'impressionner. Moi autant. Je suis un mammifère marin, je suis une femelle et je veux lui plaire, je veux que le mâle me choisisse comme femelle animale. Je lui tourne autour et je fais exprès de le toucher quand je passe proche. Chaque fois, je mouille. Vingt mètres, trente mètres. Je mouille salé dans la mer salée. Quelques gouttes perdues dans l'infini de l'eau de la Terre. Nos corps parlent, nos ventres parlent. Quand on est concentrés sur notre respiration, juste notre respiration, la vie change, ou devient juste ce qu'elle devrait être, je ne sais pas vraiment. L'océan devient une maison secrète hors du temps et de l'espace, où nous sommes protégés du monde. Quand on croise les autres plongeurs, on se dépêche de s'éloigner, ils nous dérangent dans notre danse primitive.

Après trois ou quatre plongées, Jean(-...) tient ma main sans arrêt quand on est sous l'eau. Il m'a enlevé du poids de lestage, il dit que je n'en ai pas besoin d'autant vu que j'ai une bonne flottabilité, mais j'ai tendance à remonter toute seule vers la surface à mesure que ma bonbonne se vide. Il ne faut pas ça, sinon je vais mourir comme on sait, si on est malchanceux. Alors il me tient, c'est son excuse, je crois. Une fois, il doit même m'attraper par une jambe pour me retenir, je m'envole. Il est dangereux. Mais je lui fais confiance, je le suis, me confie toute toute à lui. Il est l'instructeur et moi l'élève, et je sais qu'il me protège. Je ne prends plus de nouvelles de mon Guillaume depuis la deuxième plongée parce que je me sens trop mal sinon. Je triche, on dirait. Je me trahis, aussi, vu que d'habitude je suis le genre de fille qui ne veut jamais dépendre. Je suis libre et pas commode, d'habitude, je ne m'attache pas facilement. La galanterie ne me plaît pas beaucoup parce que je suis trop orgueilleuse pour accepter de me faire donner ce que je suis capable de me donner toute seule. Mais l'eau salée, à mesure que j'y descends, efface tout de la société des adultes civilisés. Je m'en fous, j'oublie toute ma fierté. À la surface, par exemple, je tiens tête à Jean-Louis. Dès qu'elles dépassent, nos têtes, qu'on respire à nouveau de l'air non embouteillé, la corde, le nœud de cordage entre nos ventres, se défait. Je remonte toute seule dans le bateau, je m'allonge sur le pont et prends du soleil, et je ne le regarde même pas, je parle avec les autres. Lui non plus, il ne me donne rien. Mais à mesure que les jours passent, à force de me caresser de plus en plus souvent le soir, dans mon lit, en pensant à lui sexuellement, j'en viens à avoir envie de plus que ça. Aucune plongée ne dure assez longtemps et j'ai besoin de toucher sa peau sans l'épaisseur du tissu mouillé. Je veux savoir son rythme, si lui aussi il épouse le tangage du bateau même sur la terre à force d'y passer tout son temps. Je veux sentir son cœur, goûter son sel, ébouriffer ses cheveux coiffés. Je veux savoir ce qu'il aime mieux manger entre seins ou chatte et ce qu'il aime se faire faire pour bien jouir. Son corps tout doux m'appelle, je veux renverser les rôles et lui montrer les choses d'égal à égale, les choses qu'on veut quand on est une femme.

Je finis par l'inviter pour la bière que je lui dois. Les hommes sont souvent comme des boîtes postales, la bouche ouverte à ne rien donner mais à tout recevoir, sinon on ne les intéresse pas. Il me répond *non, pas ce soir, demain*. J'ai peur de ne pas avoir le temps de faire le tour. Ça angoisse, ne pas faire le tour d'un garçon quand il nous reste deux jours et qu'on ne le reverra plus jamais. À partir de ce moment-là, j'angoisse aussi parce que j'ai peur de ne même pas commencer ou finir, j'ai peur du juste rien. Mais le lendemain, il a son sac et il a apporté des sous-vêtements de rechange dedans, je crois, si j'essaie de deviner par la forme.

Après la dernière plongée, je suis nerveuse, j'ai peur qu'il se sauve. Mais finalement, il me dit à l'oreille qu'il veut m'emmener à Palancar, la meilleure plage. J'aime ça, je réponds oui. On se prend des bicyclettes au kiosque de location d'à côté et on est comme dans l'eau pendant qu'on pédale dessus, ça recommence, on se tourne autour, on se dépasse et on est ensemble, d'un fil invisible de mon nombril à son nombril. Ça chatouille dans le creux, je le sens bien. Arrivés à la plage, on s'installe dans le sable et je me couche la tête sur sa poitrine. La mienne bat vraiment vite, ou c'est peut-être la sienne ou les deux. Ça n'est pas parce que je suis particulièrement intimidée, c'est juste comme ça. Il me touche les cheveux sans trop savoir comment faire, et moi, je n'ai jamais eu un corps comme le sien, aussi petit et aussi compact, je ne sais pas où me mettre, ça n'est pas naturel pour moi non plus. Je lui demande s'il veut se baigner avec moi parce que j'ai chaud. Tout est trop vrai, il fait trop soleil, on se voit trop et l'air est trop lourd. Il accepte comme s'il avait pensé la même chose que moi. Dans l'eau jusqu'à la poitrine, on s'embrasse pour la première fois, pas longtemps. Je ne refroidis pas, alors je dis que j'ai déjà envie de m'en aller, que j'ai de l'air climatisé dans ma chambre. C'est juste une excuse, je déteste l'air climatisé, mais la femme de chambre l'a sûrement laissé ouvert, ça fera du bruit et on pourra fermer les rideaux pour être moins vrais là-bas. Je dis que j'ai aussi de la bière dans le frigo. Je déteste la bière égal à l'air climatisé.

Dans ma chambre, il fait très frais et c'est bon, finalement. Jean(-...) se couche sur le lit dès qu'il a refermé la porte, peut-être parce que je n'ai pas de chaise. Je le pousse un peu et soulève le couvre-lit pour l'enlever. J'aime mieux quand c'est tout blanc, c'est plus beau et plus propre. Je reste un moment couchée à côté de Jean(-...) avant d'approcher mon nez de son aisselle pour la sentir. J'aime son odeur. Il porte seulement son tout petit maillot de bain et je guette pour voir quand son sexe va paraître plus. Ça ne prend pas de temps. Il n'est pas aussi gros que ce que j'aime, son sexe, mais je devine qu'il est confortable. Je le frôle avec ma main par-dessus le maillot en faisant semblant que c'est sans faire exprès. Les hommes sont souvent des boîtes postales, c'est sûr, parce qu'il ne fait rien encore pour m'accueillir sur son territoire de peau. En même temps, c'est OK, c'est comme quand je m'imaginais simplement lui faire du bien sans vraiment me faire plaisir à moi-même. On s'embrasse encore. Habituellement, je n'aime pas embrasser quand je n'aime pas, mais là ça va, j'aime sa bouche, je trouve qu'elle est bonne. Je déshabille sa queue et je commence à la caresser avec ma paume et aussi avec le dos de ma main pour essayer de l'agacer. Il gémit doucement. C'est conventionnel. Je grogne un peu. Je veux lui montrer qu'il peut être ce qu'il veut, que je n'ai pas de limites trop trop. Il semble comprendre alors que ses yeux se perdent dans leurs fenêtres en même temps que sa bouche s'ouvre plus grand. Il m'expire dans le visage. Je lui grimpe dessus. J'ai encore mon maillot de bain. Je mets toute mon attention dans mes seins, qui montent et descendent sur sa poitrine pendant que je l'embrasse avec beaucoup de salive. J'espère qu'il les sent chauds et présents, mes seins. Il me prend les fesses et m'utilise un peu sur lui enfin. On fait comme si, moi tout habillée, lui tout nu. J'écarte le tissu de mon bas de bikini et je trempe mon doigt pour lui en mettre dessus, puis je m'étire pour prendre un condom sous l'oreiller. Ça le fait rire nerveusement. Je le lui enfile sans faire de scène et m'insère son sexe au fond tout de suite. Je prends appui sur mes pieds et écarte mes jambes, je veux me le taper pour de vrai et qu'il le voie. Il gémit plus fort et a l'air étonné. Ses mains ne savent plus quoi faire parce que c'est moi qui décide. Il me prend par les seins. Me dit de ralentir, qu'il va jouir trop vite. Je referme mes genoux autour de lui et me rallonge sur son ventre en gardant sa queue en moi. Il bouge encore doucement pour la rentrer et la sortir comme il le veut, puis me demande de recommencer ce que je faisais. Mes jambes ne tiendront pas longtemps, mais je veux lui faire plaisir. Je lui ordonne de me serrer plus fort mais il répond qu'il a peur de me faire mal. Je lui dis que ça va, s'il me fait mal. Il a l'air étonné encore. Je lui répète *frappe-moi, frappe-moi*, il me demande *où*, je lui réponds *où tu veux* et il commence à me donner des petites tapes gênées sur les fesses. C'est bon quand même, parce que je sens qu'il ne fait pas ça, d'habitude, qu'il le fait, là, juste pour moi. Ça n'est pas comme de la pornographie, c'est plus comme deux natures qui se rencontrent maladroitement. Il se regarde se faire baiser et il répète *putain* entre ses lèvres. Ça m'excite beaucoup, pour du *français*. Je lui demande de me masturber en même temps. Ça n'est pas sa force non plus, mais c'est beau de le voir. Je le guide avec mes mains, avec mes gémissements comme des plaintes entre plaisir et désespoir. Mes jambes s'épuisent mais c'est trop bon pour arrêter. On se rapproche tranquillement des petits animaux de la mer. On oublie de se regarder bouger et on se baise sans délicatesse.

Il jouit. Pas moi, mais ça n'est pas grave. Il me prend en cuillère et me donne des petits baisers dans le cou, quand même. On ne dort pas ensemble, je lui demande de s'en aller et on dirait que c'est ce qu'il veut lui aussi, alors ça n'est ni froid ni cruel. Dormir, c'est trop intime. Ou, je ne sais pas, c'est peut-être juste parce que j'ai l'impression d'avoir fait le tour.

— Fanny, jolie Fanny, on se reverra, dis?

Après son départ, je ne peux pas dormir. J'hésite entre penser que je suis la seule présentement pour lui ou être certaine qu'il a eu cinquante touristes dans la dernière année. Les deux se pourraient, même si je le trouve un peu trop surpris pour avoir beaucoup d'expérience. J'ai eu ce que je voulais, dans un sens, je lui ai fait du bien, je crois. Je n'ai pas l'habitude des nouveaux garçons. Je n'ai pas l'habitude des une fois.

×××

Le retour à Montréal coïncide avec le moment où on commence à s'espionner dans les réseaux sociaux. Le Jean-Louis virtuel passe tout son temps à se prendre en photo dans le miroir de sa salle de bains, avec ses muscles découpés et un sourire qui n'existe pas dans la vraie vie. Son bronzage, vu d'ici, m'a l'air excessivement foncé. Ses *hashtags* #boy, #fit et #detox me donnent mal au cœur. La toilette en décor de fond de ses portraits aussi.

Il m'écrit qu'il veut venir à Montréal. Mais il n'y a pas assez d'eau à Montréal.

Et nous ne sommes pas des mammifères marins.

Ryad Assani-Razaki

Ambroisie

Ayant ainsi parlé, elle le remplit de vigueur et d'audace ; et elle versa dans les narines de Patroklos l'ambroisie et le nectar rouge, afin que le corps fût incorruptible.

Homère, *Iliade* XIX (23-39)

ÈVE

Ève posa le pouce et l'index joints sur l'écran de l'ordinateur. Dans le noir, ses paupières battirent. L'unique éclairage de la pièce provenait de la surface de l'écran. Au-delà de cette auréole de lumière qui l'englobait à peine, la pièce entière semblait plongée dans le néant. Elle était une figure solitaire assise à un bureau au centre d'un minuscule îlot de lumière perdu dans un océan d'obscurité. Écartant lentement deux doigts, elle agrandit les inscriptions affichées à l'écran. Elle les agrandit au maximum, au point où, finalement, un seul mot y trouva sa place, immense, absorbant la totalité de l'écran. Puis, d'un glissement de l'index, elle fit défiler les mots énormes, l'un après l'autre de droite à gauche, afin que chacun d'eux prît tout son sens. Ce faisant, elle se pencha en avant, rapprochant progressivement son visage jusqu'à quelques millimètres à peine de l'ordinateur. Tout autour d'Ève semblait évanescent.

Mais les mots demeuraient là, immuables, rigides, éternels et irrévocables : « Ton visage, ton cou, tes seins, ton ventre, tes cuisses... »

Ève ferma les yeux et se massa les tempes. Derrière ses paupières, les mots réapparurent, irradiants, de la couleur du magma qui coule sur le flanc d'un volcan, scintillant et avalant des vies sur son passage : « La douceur entre tes jambes. »

Elle posa ses cinq doigts sur l'écran et les rapprocha d'un mouvement sec. Les mots se rétrécirent et se multiplièrent à l'infini, au point de devenir une masse indéchiffrable. La page en était couverte. Elle regardait le dernier message de Sam. Il y avait tant de mots, autant qu'il y avait de rides sur son visage. Peut-être était-ce cela, la raison. Celle pour laquelle Sam, son mari, écrivait ces messages. Pour chaque ride sur le corps de sa femme, Sam écrivait un mot. Puis, d'un clic, il les envoyait à l'autre bout de la ville à une inconnue, une jeune femme, presque une enfant, aux cuisses lisses, aux fesses fermes, aux seins pointus. Ève serra les dents.

Elle s'appelait Magali. Ève pouvait lire le nom en tête de chacun des messages que Sam lui avait envoyés : Chère Magali. Elle imagina la moustache de Sam remuant lorsqu'il prononçait le nom de la fille. Elle en vit la courbe, les poils gris. Puis, soudain, elle se rappela qu'elle n'existait plus. Après trente ans de mariage, tout d'un coup, il l'avait rasée. Magali n'aimait sans doute pas embrasser les hommes moustachus. Ève avait perdu Sam le jour où il avait perdu sa moustache. Elle se demanda comment ça devait être d'embrasser ce nouveau Sam au visage glabre et aux lèvres lisses. Depuis qu'il s'était rasé, ils n'avaient pas échangé un baiser. Avec cette nouvelle apparence, il était devenu un autre homme, un homme qu'elle ne connaissait pas. Son sourire avait changé, il était devenu plus volontaire, plus confiant.

Le téléphone portable d'Ève vibra et la ramena à la réalité. Posé près du clavier, l'appareil s'était illuminé et avait détourné son attention de l'ordinateur. Elle se pencha et observa le message qui s'y affichait. Son cœur bondit.

Ses soupçons s'étaient éveillés quelques mois plus tôt quand, deux soirs de suite, elle avait senti un parfum étranger sur les vêtements de Sam. Les effluves de Lolita Lempicka, le parfum au flacon en forme de pomme, l'avaient hantée pendant toute une journée comme un cauchemar dont on n'arrive pas à s'extirper. À cette époque, Sam sortait tous les soirs. Il disait qu'il désirait prendre l'air, se promener un peu pour faire de l'exercice. Ève avait songé à le confronter. Puis elle avait hésité. Pourquoi? Peut-être étaient-ce leurs trente ans de mariage qu'elle tenait à garder sacrés. Elle avait regardé la bague dont le diamant scintillait à son doigt. Sam était à elle, avait-elle songé.

Un soir, alors qu'il se préparait pour sortir se promener, Ève s'était déshabillée et l'avait attendu, nue dans leur lit. Sam était passé devant elle sans remarquer sa nudité. Ève était restée sur le lit, vêtue uniquement de sa douleur. Dans l'obscurité, elle avait attendu qu'il revienne, baignant dans cette odeur que Sam semblait laisser derrière lui. Celle de la pomme de la tentation. Elle aurait pu poser des questions, mais elle avait préféré fouiller les poches de son mari à son retour. Elle y avait trouvé une carte de visite.

Un raclement au loin attira son attention, la ramenant au présent. Quelqu'un jurait à la porte d'entrée de la maison. Elle imagina Sam fourrageant dans ses poches à la recherche de ses clés. Elle l'imagina dehors pris dans le cœur de cette nuit du mois le plus froid de l'hiver. D'un geste lourd, Ève se déconnecta du compte courriel de son mari et ferma la page. Cependant, elle resta assise. Le téléphone avait cessé de vibrer. Le message s'était éteint dans l'obscurité. Elle glissa deux doigts dans sa poche et en extirpa la petite carte de visite rectangulaire au parfum de Lolita Lempicka. Sam était revenu. Elle rapprocha la carte de ses yeux. Peu à peu, alors que sa vision se faisait à la pénombre, des lettres émergèrent à la surface de la carte, rouges sur fond pâle : Paradise City – Gentlemen's Club.

SAM

Debout au pied d'un lampadaire, il observait l'enseigne lumineuse sur le trottoir opposé: Paradise City – Gentlemen's Club. Des silhouettes de femmes nues dans des positions suggestives clignotaient sur les rebords de l'enseigne. On était au début de l'hiver et les premières neiges étaient à peine tombées. Il tira un dernier coup sur sa cigarette. Dans la nuit hivernale, la braise du mégot rougeoya alors qu'il inhalait. Puis, d'une chiquenaude, il se débarrassa de la cigarette à moitié consumée, recracha la fumée et, d'un pas déterminé, traversa la rue.

Un instant plus tard, la lourde porte de l'établissement se refermait derrière lui, l'isolant des bruits de la ville et des gens, du chuintement des pneus dans la neige fondue. De la musique résonnait à présent à ses oreilles, forte mais claire, les basses tonnantes et les aigus fins. Il pouvait en sentir les vibrations dans ses mollets, ses cuisses et ses tempes. Des reflets kaléidoscopiques tournaient dans la salle, baignant le parquet, les murs et l'assistance de teintes multicolores. Des ombres assises par groupes plus ou moins grands dans des fauteuils disposés autour de tables couvertes de verres d'alcool chahutaient et s'esclaffaient. Le regard de Sam se porta directement sur la piste de danse. Elle était vide. Une danseuse venait de terminer son numéro. Il se demanda qui serait la suivante. Il inspecta la foule, son regard s'attardant sur chacune des hôtesses. Les blondes aux lèvres rouges, le ventre plat à la peau laiteuse ; les brunes cambrées, les fesses fermes et les seins généreux. Les traits de leurs visages évoquaient des pays lointains aux noms qui rappelaient le soleil, les cartes postales et les rêves d'évasion. Il observa cette jeunesse désinhibée qui revendiquait sa liberté. Il admira la créativité de leur lingerie, dont chaque échancrure, chaque ficelle était destinée à mettre en valeur la perfection. Les lèvres pincées, il scruta le contour de leurs tétons qui se dessinait en relief sous les tissus des soutiens-gorges. Puis il suivit le sentier d'un abdomen ferme, passa la limite du nombril et, prenant son courage à deux mains, osa fixer le pubis couvert uniquement d'un triangle d'étoffe. Lorsque les filles marchaient, le textile étiré s'insérait entre leurs cuisses et dévoilait les contours de leur sexe. Une tension gagnait l'entrejambe de Sam, de la chaleur se répandait dans ses testicules. Il inspira avec plaisir et se dirigea vers le bar. Un annonceur indiqua l'entrée imminente en scène de la prochaine danseuse. Lorsqu'il entendit son nom, un frisson lui parcourut la nuque : Destinée. Il commanda un dirty martini puis se retourna et appuya ses coudes sur le bar.

Destinée était sa préférée, la raison pour laquelle il venait de plus en plus fréquemment dans ce club. Au début, il y passait juste une fois par semaine, afin de ne pas alerter sa femme. Puis, un jour, il avait assisté à la prestation de Destinée et, depuis lors, il avait dû revenir de plus en plus régulièrement. À présent, il y était sept jours sur sept. Il ne pouvait plus se passer d'elle, il lui fallait s'enivrer de son corps tous les soirs.

Le volume de la musique baissa et l'assistance, subjuguée, se tut. Destinée fit son entrée sur la piste. C'était une brune aux longs cheveux ondulés et à la peau mate. Elle parcourut l'assistance du regard. Il était si facile de se perdre dans ses grands yeux aux longs cils et dans ses pupilles couleur d'ambre semées d'un millier d'étoiles ! Il semblait à Sam qu'à la différence des autres danseuses, qui se servaient uniquement de leur corps pour aguicher les hommes, c'était également dans son regard que Destinée offrait des promesses d'ébats et de luxure sans retenue. Elle était si jeune et paraissait si innocente ! Elle donnait envie aux hommes de la retirer de cette vitrine et d'en faire leur possession personnelle, leur plaisir privé.

D'une ondulation de la hanche, elle traça une courbe dans l'imagination de Sam. Il observa sa bouche et, l'instant d'une seconde, il lui sembla qu'elle avait remarqué son regard, car ses lèvres s'étaient écartées dans un sourire presque invisible, dévoilant des incisives blanches qui luirent dans le noir. Sam accrocha son regard aux courbes de son corps, au galbe de ses jambes. Elle était vêtue de longs bas et d'un porte-jarretelles. Un baby doll de soie transparent caressait la nudité de ses seins pointus. Ses doigts coururent sur la barre au centre de la piste, qu'elle saisit vigoureusement. Sam imagina ce poing ferme se resserrant autour de sa verge. Il la sentit s'engorger de plaisir. Il porta son verre à ses lèvres. Destinée se colla à la barre et la fit glisser dans le creux de ses seins. Le goût de l'alcool s'étala sur la langue de Sam. Au rythme de la musique, Destinée avança le ventre vers la barre jusqu'à y appuyer son sexe. Sam vit le mouvement contracter les muscles ronds des fesses de la danseuse. Il déglutit. Dans la pièce, il n'y avait plus qu'elle et lui. Elle ondulait pour lui, se cambrait pour lui. Il s'imagina frôler de ses paumes les mamelons turgescents de la jeune femme. Il attendit patiemment qu'elle épluche pour lui chaque pièce de lingerie et lui offre son corps. Il tremblait en serrant son verre. Il avait tant envie d'elle. Il n'avait jamais osé demander une danse privée, c'était un pas qu'il n'était pas prêt à franchir. Il se rappela le soir où elle s'était tenue tout près de lui, au bar, et avait commandé un daiquiri. Il l'avait épiée du coin de l'œil. Non, il ne voulait pas de danse privée, il désirait plus. Il ne voulait pas se contenter de la regarder, comme tout le monde avait le droit de le faire. Il voulait la toucher, la lécher, sucer la plénitude de ses seins, s'enfoncer dans la chaleur moite de son sexe. Il voulait la voir se contorsionner sous lui, la chevelure éparse collée sur son visage par la sueur de leurs ébats, les yeux révulsés et la bouche déformée par un gémissement de volupté. Il voulait la voir perdre tout ce contrôle qu'elle avait sur les hommes de l'assistance et redevenir juste une femme aux jambes écartées et à la chatte couverte de mouille qui le supplierait de lui donner du plaisir. Non, il ne voulait pas d'une danse, il voulait lui arracher sa beauté et sa superbe et, ainsi, la posséder.

Cependant, il rêvait. Il n'était qu'un vieillard à la moustache grisonnante. Lorsqu'elle était repassée à côté de lui, son daiquiri à la main, elle l'avait frôlé. Il avait senti contre sa peau celle de Destinée et, dans ses narines, son odeur, son parfum.

MAGALI

Le flacon de parfum était posé à côté d'autres cosmétiques sur le rebord intérieur d'une fenêtre : une petite pomme de cristal transparent à moitié remplie d'un liquide de couleur lavande et recouverte de caractères dorés : Lolita Lempicka. L'appartement entier portait la fragrance de son corps. Il était situé au troisième étage. Depuis la fenêtre, la vue donnait sur une rue extrêmement animée du centre-ville. Le soleil cru de midi se réverbérait sur les toits des voitures. Des femmes et des hommes pressés traversaient la rue à l'improviste, en dehors des passages pour piétons. L'appartement était constitué d'une seule pièce. Il y avait une table dans un coin, sur laquelle étaient disposés ses livres de chimie et un Mac, une chaise à côté, un lit au centre et, contre un mur, une commode supportant une télévision. Dans l'évier, le bol de céréales qu'elle avait pris à la va-vite en sortant ce matin. Debout en face d'elle, au centre de la pièce, se trouvait Sam. Il leva la tête. Destinée lui défit son nœud de cravate. Il déglutit. Puis, un bouton à la fois, elle lui ouvrit sa chemise, la lui ôta et la jeta sur la chaise. Elle entreprit alors d'enlever sa blouse. Elle baissa le regard vers le pantalon de Sam. Elle imagina son sexe qui se raidissait. Elle regarda sa chemise froissée sur le dossier de la chaise.

— Quel beau corps, fit-elle.

Elle repensa à la journée.

×××

— Oh, nom de Dieu !

Sam jeta un coup d'œil sur sa chemise pour estimer l'étendue des dégâts. La tache de vin rouge s'y élargissait. Il leva les yeux. Son regard lançait des éclairs. Effrayée, Magali recula de quelques pas sur la terrasse du café. Sam porta son regard sur le verre à présent vide qu'elle tenait à la main. Elle avait trébuché en passant près de la table de Sam et renversé presque tout le contenu de son verre sur lui.

— Je suis vraiment sincèrement désolée, fit-elle.

Il reporta les yeux sur elle et l'observa de la tête aux pieds. Elle avait des cheveux bruns tirés en queue de cheval et des yeux clairs agrandis par les verres de ses lunettes. Elle portait une blouse canari, un jean et des chaussures plates. Dans une main, elle tenait un manteau et, de l'autre, le verre coupable. Elle était plutôt jolie, alors il se calma.

— Vous êtes tachée aussi, fit-il.

— Effectivement, répondit-elle.

Elle sembla hésiter un instant, puis :

— Si vous voulez, je peux vous remplacer votre chemise.

— Vous allez m'en acheter une nouvelle ? s'enquit-il, incrédule.

— Non, mais il va falloir que j'aille me changer moi aussi. J'habite à cinq minutes, je peux vous trouver une chemise d'homme chez moi.

Décontenancé, il observa la tache de vin :

— Écoutez, ça m'arrangerait beaucoup, mais...

— Honnêtement, ça ne me dérangerait pas. Et puis, ne vous en faites pas, je vous connais.

Il se gratta la moustache, confus :

— Vous me connaissez ?

Elle se rapprocha de lui et lui murmura à l'oreille :

— Paradise City. Je danse.

Il sentit les effluves de son parfum.

— Oh mon Dieu, Destinée ! Je ne vous avais pas reconnue !

Elle éclata de rire.

— Ne vous en faites pas, ça arrive souvent. Une fois que je remets mes vêtements, j'ai l'impression d'être Clark Kent !

Elle ajusta ses lunettes et prit une expression un peu attardée. Ce fut au tour de Sam de rire.

— Destinée, c'est mon nom de superhéroïne. En mode camouflage, je m'appelle Magali.

— Sam.

— Enchantée. Alors Sam, on y va ?

×✳×

L'appartement se trouvait un peu plus loin que Magali l'avait annoncé. Ils avaient dû marcher près d'une dizaine de minutes. En chemin, ils avaient discuté et beaucoup ri. Cependant, à présent qu'elle refermait la porte derrière eux, Sam pouvait sentir naître une tension qu'il ne savait nommer.

— Vous n'allez pas rester planté là, Sam, déshabillez-vous.

Magali se rapprocha de lui, leva les mains et lui défit sa cravate. Elle lui ôta sa chemise et la jeta sur le dossier d'une chaise. Elle recula d'un pas.

— Quel beau corps, fit-elle.

Puis elle entreprit d'enlever sa propre blouse. Sam détourna le regard, gêné. Magali éclata de rire :

— Sérieusement, Sam ? Vous me voyez complètement nue tous les soirs !

Il sourit. Elle ouvrit la commode et en sortit une chemise.

— J'ai dû la chiper à mon frère, elle devrait vous aller.

Elle lui lança le vêtement et il l'attrapa au vol. Mais ils ne s'habillèrent pas. Plutôt, ils s'observèrent. Sam regarda la finesse de ses bras, le grain de beauté sur sa côte juste en dessous de son soutien-gorge fuchsia, le teint de sa peau à la lumière du soleil. Plein de détails qu'il ne pouvait pas voir dans l'éclairage artificiel du club. Ici, dans cette chambre d'étudiant au mobilier modeste, elle lui paraissait beaucoup plus réelle avec ses cheveux coiffés vers l'arrière et sa myopie et, de ce fait, elle était encore plus désirable. Elle se rapprocha de lui :

— Il faut qu'on parte, fit-elle en lui touchant le torse. Vous avez un *meeting*.

Ils s'habillèrent. Sur le pas de la porte, elle jeta un dernier coup d'œil à la chemise de rechange.

— Vous voyez, chose promise, chose due ! Et elle vous va bien.

— Je vous la rapporterai, dit-il.

— Oui, répondit-elle. Ainsi, on pourra se revoir.

SAM

La première fois qu'ils s'étaient revus, Sam avait gardé la chemise consciencieusement pliée dans son attaché-case, comme une excuse. Cependant, Magali n'y avait fait aucune allusion. Elle n'avait pas besoin d'excuses. Ils avaient discuté longuement, puis Sam était reparti au bureau, le vêtement toujours dans sa mallette.

Depuis, ils s'étaient rencontrés tous les jours, religieusement, à la pause de midi de Sam, sur la terrasse du café où elle lui avait renversé son verre dessus. Sam avait rasé sa moustache. Le cœur battant, il attendait cette rencontre d'une heure qui était devenue l'espace central de sa vie. Magali se livrait à lui, ses yeux pétillants de franchise. Il lui avait appris à faire des ronds de fumée, elle l'avait défié à des batailles de bulles de chewing-gum et ils avaient même bu du vin à la paille, pour rire ; ils avaient joué au tic-tac-toe et au petit bac sur le dos des rapports de *meeting* de Sam et il n'était plus jamais retourné à Paradise City. Il ne pouvait plus se contenter de fard et de poudre aux yeux. Il avait perdu tout intérêt pour les escarpins et la lingerie aguichante. Tout cet artifice était pâle en comparaison de l'extraordinaire réalité de cette jeune femme de vingt-quatre ans qui apparaissait devant lui en casquette et en baskets. Le véritable interdit n'était pas le défilé de seins et de sexes parfaitement épilés qui s'exposait à la vue pour le prix d'une margarita. C'était un pantalon de survêtement qui, accidentellement, glissait et dévoilait une culotte en coton rose à pois, une intimité qui n'était pas destinée à être vue. Lorsque, parfois, Magali le rejoignait au café après une séance de gym et que, la capuche de son pull sur la tête, elle ajustait ses lunettes ou léchait des miettes de pain collées sur sa lèvre supérieure, Sam la désirait plus que tout, plus qu'il n'avait jamais désiré Destinée. Cette dernière, il avait eu envie de la dominer. Maintes fois, il avait imaginé son sperme gicler sur les lèvres de la danseuse exotique. Par contre, lorsqu'il songeait à Magali penchée sur ses livres scolaires et récitant des formules de chimie, il se demandait plutôt quel était le goût de ses lèvres. Il était difficile d'imaginer que ces deux femmes étaient la même personne tant ce qu'il ressentait pour elles était différent. Magali avait eu raison lorsqu'elle avait déclaré que, du jour à la nuit, elle se métamorphosait. Cependant, elle s'était trompée sur un fait : pour Sam, Destinée était Clark Kent et Magali était Superman. Il la lui fallait.

Il le savait : bientôt, il l'aurait. Toutefois, à présent qu'il était si proche du but, il hésitait. Magali était la pureté. Il admirait ses doigts fins, sa peau homogène, les prunelles de ses yeux au fond desquelles il pouvait déceler son rêve de liberté. Elle était également le courage, celui de s'exposer la nuit et de danser, puis, une fois le soleil levé, de s'assumer. Sam observa ses propres mains, sur lesquelles commençaient à apparaître les premières décolorations et taches de vieillesse. Lui, à l'opposé, était un lâche et un menteur pour qui le moment le plus important de la journée était celui où il se cachait et agissait en hypocrite. La véritable leçon qu'il aurait dû apprendre de Magali était d'être courageux, franc et, justement, de ne pas coucher avec elle, de ne pas tromper sa femme. Mais comment tourner le dos à Magali, comment cesser de lui envoyer des courriels enflammés ? Que resterait-il de passion dans sa vie s'il ne pourchassait plus cette jeune femme ? Elle était son essence, le moteur de son existence. Elle était le rappel qu'il vivait, qu'il n'était pas seulement un quinquagénaire qui se fanait et flétrissait. Elle était son ambroisie.

Alors, il céda :

— Depuis le premier jour, tu ne m'as plus jamais réinvité à ton appartement. On s'échange tous ces emails mais on n'est jamais allés plus loin. Je ne te plais pas ?

Le souffle de Magali s'arrêta brusquement. Elle détourna le regard et se perdit dans la contemplation des clients sur la terrasse. S'était-il trompé sur les sentiments de la jeune femme ? se demanda-t-il, le cœur battant.

— Mais qu'est-ce que tu veux de moi ? fit-elle.

— Je ne veux pas quelque chose de toi, je te veux, toi. Tu es si pure. Magali, ne vois-tu pas que je t'aime ?

Magali combattit un afflux de larmes :

— Soit, tu m'aimes. Mais moi, qu'est-ce que je peux vouloir de toi ? Tu as une femme chez toi que tu as épousée à une époque où je n'étais même pas encore née. C'est elle, ta réalité. Moi, je ne suis qu'un rêve. Pire encore, une fois que tu m'auras possédée, je deviendrai la réalité de ta honte.

Il baissa les yeux.

— Je ne suis pas pure, Sam. Je suis une strip-teaseuse, j'offre mon corps pour de l'argent.

— Mais que veux-tu donc, que je te paye ?

Les larmes débordèrent de ses yeux. Elle serra le poing, blessée.

MAGALI

La lumière des lampadaires se réverbérait sur les flacons de cosmétiques posés sur le rebord de la fenêtre.

— Non, Sam, je veux que tu réfléchisses et que tu saches vraiment ce que tu veux.

C'étaient les derniers mots qu'elle avait dits à Sam plus tôt, quand il lui avait fait sa déclaration. Ensuite, elle s'était levée et, bouleversée, avait fendu la foule attablée à la terrasse. À présent, dans son lit, Magali s'était prise à rêver. Au début, tout avait été si simple : la rencontre, le vin renversé sur la chemise, la visite à l'appartement, sa nudité devant Sam. C'était simple parce que Sam était un homme. Du fait de son travail au club de striptease, Magali les connaissait. Elle les voyait sous leur jour le plus cru. Elle avait appris à les dominer, à les maîtriser, à les manipuler et à les amener au point où elle le voulait. La majorité de la recette d'une nuit ne se faisait pas sur scène mais en danses privées dans les isoloirs du club ou, parfois, après la fermeture, au domicile d'un client. Il fallait donc profiter du temps des deux danses pour appâter la bonne personne, la séduire avec des regards, la mettre sous les feux d'un projecteur invisible. Sous la pression, les filles apprenaient très vite l'art de contrôler les hommes. Au premier passage, elles gardaient leur lingerie et aguichaient l'individu de leur choix. Elles se trémoussaient de manière plus ou moins explicite en fonction de ce qu'elles avaient deviné des désirs de l'homme. Il fallait créer une illusion d'intimité. Ensuite, au deuxième passage, commençait le véritable effeuillage. Elles s'adonnaient à peler la réserve de leur proie, un sous-vêtement à la fois. À la fin de la danse, l'homme était aussi nu qu'elles, seulement lui ne le savait pas. Plus tard, elles rachetaient d'autre lingerie, pour le soir suivant. C'était si simple. C'était simple parce que les hommes étaient simples. Ils étaient de simples porcs!

Seulement, elle avait rencontré Sam et s'était rendu compte de son erreur. Elle avait tenté de jouer le même jeu, mais cette fois-ci, les vêtements qu'elle avait épluchés recouvraient sa véritable vie. Elle s'était retrouvée nue devant Sam et il l'avait touchée. Il avait gagné son cœur grâce à sa sensibilité masculine, à sa timidité, à sa naïveté. C'était étrange comme il avait réussi à la posséder en se donnant à elle. À présent, la tête sur l'oreiller, elle observait le jeu de la lumière des lampadaires sur les flacons de parfum alignés sur le rebord de la fenêtre. Il avait dit qu'il l'aimait. Elle se demandait si elle était prête à ce que Sam vienne chambouler sa vie. Elle attendit un long moment, puis une larme coula le long de son nez. Elle jeta un coup d'œil à sa montre. Il serait bientôt 4 h du matin. Elle se redressa, saisit son téléphone et commença à écrire un message :

— Je ne veux pas d'argent...

ÈVE

Le bruit à la porte d'entrée se poursuivait. Ève s'assura qu'elle était bien déconnectée du compte de son mari et éteignit l'ordinateur. Elle l'imagina à la porte d'entrée, fouillant dans ses affaires à la recherche de ses clés. Elle observa une dernière fois la carte du Paradise City, puis la remit dans la poche de sa chemise. Elle attrapa son téléphone portable et sortit du bureau. Pieds nus sur le parquet lisse, elle traversa la maison en direction de la porte d'entrée. Elle croisa les tableaux, les meubles et les objets qui faisaient partie de leur vie, plus de trente années d'union. La baie vitrée du salon lui renvoya son image. Elle se vit dans son pyjama de soie. Il était blanc avec des rayures bleu ciel. La ficelle du pantalon était trop longue et lui pendait jusqu'aux genoux. Elle posa la main sur la poignée de la porte et le bruit à l'extérieur s'interrompit. Sam attendait qu'elle lui ouvre. Elle attendit également un moment, réfléchissant. Sam avait interrompu ses sorties nocturnes depuis un certain temps. Mais alors, il s'était rasé la moustache. Cependant, ce soir, il s'était encore absenté toute la nuit, se disant troublé. Il avait besoin de marcher pour s'éclaircir les idées. Elle ouvrit la porte. Des flocons de neige dans les cheveux, Sam leva les yeux vers elle. Dans son regard, elle vit quelque chose de nouveau, une expression qu'elle n'y avait pas vue depuis des décennies. Ève sentit une larme couler le long de sa joue. Son mari l'attira vers lui et la prit dans ses bras. Le téléphone d'Ève tomba de sa main et atterrit sur le parquet avec un bruit qui sembla se répercuter dans toute la maison. Tandis que Sam l'étreignait, elle repensa au message qu'elle avait reçu à peine quelques minutes plus tôt :

« Je ne veux pas de l'argent que vous m'avez donné, madame. J'ai réussi à séduire votre mari comme vous me l'aviez demandé. Mais à présent qu'il est temps que je le rejette afin de le blesser pour qu'il vous revienne, je n'y arrive pas. Ce jour où vous l'avez suivi jusqu'au club et où vous avez remarqué son intérêt pour moi, lorsque vous m'avez approchée, j'ai vu en vous une femme bouleversée et j'ai tenu à vous aider. Mais à présent, c'est lui que je connais, lui que je vois, lui que j'ai dans la peau. J'ai craqué et je lui ai demandé de me rendre visite chez moi, mais je l'ai attendu toute la nuit et Sam n'est jamais venu. S'il vous revient, c'est parce qu'il vous aime. Je paierai la chambre que vous avez louée pour moi à côté de son bureau, je vous rendrai le reste de l'argent et je disparaîtrai de vos vies. »

Ève leva les yeux vers son mari et regarda cette flamme qu'elle n'y avait plus vue depuis si longtemps. Il se pencha et l'embrassa. Puis, lentement, il déboutonna la chemise du pyjama de sa femme. Le vêtement glissa le long des épaules d'Ève et tomba au sol. Ensuite, il tira sur la ficelle du pantalon, qui glissa également jusqu'au sol. Comme s'il la revoyait pour la première fois depuis longtemps, Sam observa le corps de sa femme nue sur le pas de la porte. Il observa la lourdeur de ses seins pleins, la rondeur du léger bourrelet qui courait autour de sa taille. Il contempla le rectangle de poils qui pointait entre ses deux jambes. Ève baissa les yeux. Sam sourit.

Caroline Allard

Golden
Power

F. est debout dans son bain, tout nu, la queue juste au-dessus de mon nez. Elle a enfin ramolli un peu, mais ça ne tient qu'à un fil. F. a de la difficulté à débander en ma présence, et ça lui est d'autant plus difficile que je suis nue devant lui, agenouillée au fond d'une baignoire vide, les mains retenues au-dessus de ma tête par une ceinture de cuir. Le gland de mon amant émerge parfois de son prépuce mais finit par y retourner lentement, un genre de baromètre génital de son degré de *self-control*.

En cet après-midi de janvier, la salle de bains est glaciale. J'ai les pieds congelés et les genoux écorchés par l'émail rugueux de la vieille baignoire sur pattes. Le haut de mon dos rechigne aussi ; l'autre soir, pendant une levrette échevelée, mon mari a un peu trop brutalement ramené mes poignets derrière moi et un nerf s'est coincé dans les environs de mon omoplate gauche. Depuis, j'ai de la difficulté à bouger le bras sans grincer des dents. F. n'arrange pas les choses en me retenant les bras en l'air avec sa ceinture. De minichocs électriques me tiraillent de la nuque jusqu'au coude. Mais je ne me plains pas. J'observe mon amant. Pour éviter de durcir à nouveau, il a fermé les yeux.

— Quand tu me surplombes comme ça, tu ressembles à une statue de dieu grec. Apollon, genre. Avec un plus gros pénis.

La queue de F. frémit et mon amant grimace.

— Tais-toi, sinon on n'y arrivera pas.

Je souris, fière. Même ma voix le fait bander. Mais la tâche qu'il doit accomplir est suffisamment difficile et prenante pour que son érection finisse par s'atténuer une fois de plus.

Encore trois longues minutes dans la baignoire froide sans aucun autre bruit que nos respirations et ça y est.

— Sophie..., gémit F.

Il ouvre les yeux. Son regard s'est voilé, assombri. Dans quelques secondes, d'un mince filet chaud qui enflera rapidement, il va uriner sur moi.

Je dirais que tout a commencé six mois plus tôt, en pleine canicule, dans la voiture de F. Les vitres étaient à peine baissées, pour ne pas attirer l'attention. La chaleur était accablante. C'était ma faute si nous étions là et j'avais choisi le pire endroit : au sixième étage d'un stationnement en hauteur. Y avoir réfléchi, j'aurais plutôt demandé à F. de s'engouffrer dans un stationnement souterrain où, peut-être, nous aurions pu profiter d'un peu de fraîcheur. Mais F. n'arrêtait pas de me dire que nous ne devions pas faire ça, ce qui m'excitait à mort, alors je n'ai pas réfléchi. Je n'ai vu que le panneau lumineux indiquant qu'il restait des places libres à l'intérieur, j'ai promis à F. que nous ne ferions « que discuter » et nous avons pénétré en enfer.

Après nous être stationnés et avoir déménagé sur la banquette arrière, où il serait « plus facile de discuter confortablement », *dixit* moi avec ma rhétorique à trois sous, j'ai entrepris de convaincre F. de baisser son pantalon. Ça n'a pas été facile. Nous sommes tous deux mariés ailleurs et F. a de sérieux problèmes de conscience avec l'adultère. Ce n'est pas que je n'en aie pas, mais je suis forcée de reconnaître que, dans le feu de l'action, ils ont pris le bord très rapidement.

En sueur sous l'effet de la chaleur et peut-être du stress, F. s'est mis à me bassiner, comme d'habitude, au sujet de ce qu'il ne fallait absolument pas faire. Loin de me lasser, ces disputailleries me plaisaient infiniment. Entendre F. me faire la liste de ce à quoi nous ne devions en aucun cas succomber me mettait dans tous mes états.

Mon objectif suprême cette journée-là était d'enfin voir son pénis, que j'avais déjà tâté à quelques reprises sous des tables de restaurant pendant que F., tellement bandé que ça me faisait presque mal pour lui, me sommait de cesser immédiatement. « Sophie, non. » Jamais deux mots ne m'avaient fait mouiller autant.

— Sophie, non. Je ne vais pas baisser mon pantalon. Ce serait franchir une limite trop importante, tu comprends ?

Pendant qu'il me sermonnait sur ses principes, ses barrières et sa fidélité jusque-là sans faille, je griffais doucement sa queue à travers son pantalon. F. était à ce point bandé que je n'avais aucune difficulté à en deviner les contours. J'avais tellement envie de la voir « en vrai », j'en ronronnais.

J'ai essayé de lui faire changer d'avis, mais c'était davantage pour qu'il sente le désir dans ma voix et en devienne fou que par véritable volonté de répliquer.

— Donc, même si nous sommes tranquilles ici, tu ne sortiras pas ton pénis – oh mon Dieu, il est si dur ! – de ton slip. C'est bien ça ?

F. grogna et ôta ma main de son pantalon.

— C'est ça.

J'y retournai tout de suite, cette fois-ci en insérant mon doigt sous la bande de sa ceinture, priant pour frôler son gland que j'estimais être tout près.

— Il fait si chaud, pourtant, ai-je murmuré pour rien, sinon pour l'énerver encore plus.

F. a voulu me répondre mais sa voix s'est étranglée. De nouveau, il a écarté ma main baladeuse. Et là, au lieu d'insister, j'ai posé mes deux paumes à plat sur mes cuisses, comme une petite fille sage. Mais j'ai aussi profité du mouvement pour faire remonter ma robe de quelques centimètres. F. ne s'y est pas trompé. Il a regardé mes jambes comme s'il était soudain devenu cannibale et avait eu très faim pour une cuisse. Même dans la chaleur de la voiture, le regard de F. a réussi à faire augmenter la température d'un ou deux degrés de plus. Moi, j'ai pris un air contrit et convenablement replacé ma robe. Dans un aller-retour très vif, la main de F. est venue frôler mon ourlet puis s'est retirée sur ses cuisses.

Nous sommes restés comme ça quelques secondes, sans bouger d'un poil. J'ai attendu le bref soupir de F. qui allait m'indiquer qu'il se croyait tiré d'affaire et, lorsque le soupir est arrivé, j'ai brusquement fait remonter ma robe jusqu'à la taille, dévoilant une toute petite culotte rouge bordée de dentelle noire. Une culotte à deux dollars achetée au Tigre Géant, condamnée à se déchirer pourvu qu'on y mette un peu du sien. Un slip de salope qui avait prévu le coup, quoi.

— Non, Sophie, non !

Quelque chose a explosé dans mon cerveau. J'ai écarté ma culotte, saisi sa main et enfoncé son majeur entre mes jambes. Disons simplement qu'il y est entré sans problème.

— Je veux juste que tu voies ce que tu me fais !

Il a vu. Il a baissé son pantalon assez rapidement après ça. C'est aussi à partir de ce moment-là que ç'a dégénéré.

Je me considère assez chanceuse que ça ait pu dégénérer, étant donné que je me suis fait prendre. Thomas, mon mari, a fouillé dans mon téléphone et est tombé sur un texto de F., quelque chose de très ambigu du genre «je pense à ta chatte». J'ai appris qu'on peut bien effacer tous les messages qu'on veut, s'il y en a un autre qui entre pendant qu'on est sous la douche, on est vulnérable. Deux semaines plutôt houleuses se sont ensuivies, au sortir desquelles mon mari et moi sommes parvenus à un accord : il pourrait, lui aussi, aller voir ailleurs. Rien ne lui serait interdit. Il pourrait partir à la conquête de Tinder et d'Adult Friend Finder, se taper des femmes mariées ou célibataires, s'envoyer en l'air à des collègues et même se payer des prostituées, à une condition : que je puisse continuer à fréquenter F.

Thomas a accepté et, le même jour, il s'est créé un profil sur Ashley Madison.

Depuis cette crise, aucune conséquence sur mon mariage, à part que mon téléphone se déverrouille à présent avec un code à huit chiffres et que je surprends parfois mon mari avec cinq onglets ouverts en parallèle sur des sites de rencontres. Mais je suis lucide. S'il me quitte un beau matin pour Marité, France, Stéphanie, Annick ou Patricia, je n'aurai que moi à blâmer. Quand on y pense, je me suis tirée d'une situation où m'avait placée mon comportement de salope en devenant encore plus salope. Inspiré par la résolution créative de ma crise de couple, F. a fini par tout avouer à sa copine. La Norvégienne, dont les ancêtres n'y allaient pas avec le dos de la cuillère à gravlax en matière de trahison, a jeté F. dehors avant qu'il ait pu lui dire *unnskyld*. Mais avant qu'il en arrive là, nous avons écumé les bancs de parc isolés, les fonds obscurs des salles de cinéma... et au moins un stationnement surchauffé.

En sortant du parking, cette journée-là, F. a tenu à m'avertir. Ce qu'on venait de faire (non seulement j'avais touché à son pénis mais il avait aussi joui dans ma bouche) n'était vraiment pas son genre. Il avait cédé là-dessus mais, a-t-il affirmé, il y avait un principe dont il n'accepterait jamais de dévier.

— Je suis fondamentalement égalitaire et non violent. Par exemple, frapper une femme, lui donner une fessée, même dans un contexte sexuel balisé, c'est de l'abus. C'est paternaliste et détestable. Je ne pourrais pas le faire.

Je lui ai répondu que je comprenais très bien, qu'en tant que féministe ayant le patriarcat en horreur, j'étais heureuse et rassurée de savoir que des hommes comme lui existaient. Tout de même, sa mise en garde m'a ébranlée. Après tout, entre se tripoter dans une voiture et explorer le b.a.-ba du sadomasochisme, il y a un saut qualitatif. Peut-être que mon insistance à la limite du harcèlement dans la voiture lui avait fait peur? Ou alors c'était le fait d'avoir cédé qui l'apeurait? Peut-être sentait-il que si j'y mettais un peu de cœur, je pourrais le convaincre de faire pire, bien pire... et qu'il aimerait ça?

Le soir venu, alors que mon mari dormait, je suis allée m'enfermer dans la salle de bains. J'ai étendu une serviette par terre et je me suis allongée dessus pour me masturber en pensant à F. qui m'administrait une fessée impitoyable. Tous les jours après ça, j'y ai repensé. Plusieurs fois par jour. Pas moyen d'arrêter. Du matin au soir, l'idée de F. qui me malmenait me faisait pulser l'entrejambe. C'était devenu une obsession et il faudrait bien qu'il m'en délivre.

Quand nous nous sommes revus, F. et moi, nous avons baisé ensemble pour la première fois. Ça ne s'est pas passé comme il l'avait prévu, je crois. Nous avons folâtré un peu sur le lit de là chambre d'hôtel bon marché qu'il avait réservée, heureux de pouvoir enfin nous caresser sans nous cogner la tête, les coudes ou les genoux sur une portière ou sur un plafonnier de voiture. Mais au bout d'à peine dix minutes, je m'étais déjà organisée pour me retrouver couchée sur le ventre en travers de ses genoux, le cul en l'air. Mon cul, c'est mon atout numéro un. Bien sûr, je suis vive, rigolote, mignonne, et je n'ai peur de rien, mais si on s'en tient à des critères objectifs, j'ai le plus beau cul au nord de Kim Kardashian. F. me l'a réaffirmé pour la centième fois en le caressant tendrement.

— Frappe-moi, lui ai-je demandé.

F. a soupiré.

— Sophie, non.

— Juste une fois ! Pour me faire plaisir.

— Je te l'ai dit, je refuse de faire ça.

— Une toute petite claque, alors. S'il te plaît…

— Il n'en est pas question.

Pauvre F. Il ne pouvait pas savoir à quel point ses protestations me ravissaient. Me retrouver comme ça en position parfaite pour qu'il me donne une fessée mémorable, alors qu'il persistait à me flatter délicatement la croupe comme à une vieille chatte arthritique en mal d'affection, ça m'a rendue complètement folle de désir. Il m'a encore parlé de ses principes. Le derrière en l'air, je lui ai expliqué que le lit n'est pas un bon endroit pour avoir des principes. Si les deux partenaires sont d'accord, certaines limites ne tiennent plus. Au contraire, il faut rechercher la transgression et accepter d'avoir un peu honte de notre plaisir. La honte, sexuellement, c'est le pied. Rien ne vaut le sentiment d'avoir fait quelque chose de très sale qui n'aura aucune répercussion dans les autres sphères de nos vies. Pourquoi F. se refuserait-il à me faire du mal si, précisément, me faire du mal était ce qui, à ce moment-là, me ferait le plus de bien ? Je lui ai asséné mes arguments sans lui laisser le temps de répliquer, mais d'une voix douce, en chuchotant, comme à un animal qu'on ne veut pas effrayer. J'étais en train de mettre en œuvre toute ma force de persuasion afin qu'un petit poussin accepte de me dévorer. C'était très compliqué. D'ailleurs, Sacher-Masoch l'avait bien compris : le plus difficile quand on veut se soumettre, c'est de convaincre l'autre de nous dominer. Je commençais à croire que, dans le cas de F., il n'y avait rien à faire. J'ai donc planifié un pis-aller.

— D'accord, ai-je dit. Tu ne peux pas, ce n'est pas grave. Mais pour te montrer que ce n'est pas si horrible, je pourrais peut-être, moi, te frapper ?

J'avais à peine terminé ma phrase que les foudres du ciel se sont abattues sur mon derrière. J'ai crié. F. venait de m'administrer une claque magistrale. Je me suis tordu le cou pour le regarder : ses yeux bleus étaient devenus gris sombre, le ciel clair se couvrait dangereusement. Plus un bruit dans la chambre. F. examinait mon derrière avec curiosité, semblant se demander comment ces deux globes blancs avaient pu se retrouver sur son chemin, l'inciter à commettre un tel geste. Il a de nouveau levé la main. J'ai fermé les yeux en grimaçant. F. m'a frappée, plusieurs fois de suite. Rien à voir avec les tapes inefficaces et non assumées que m'avaient prodiguées quelques amants auparavant. F. possédait un talent naturel pour la chose. Le bon angle d'approche, la bonne force, la rigueur méthodique, tout ça vous fait résonner une claque de manière très distinctive. J'ai commencé à gémir, de douleur mais aussi d'extase. F. m'avait dit « Sophie, non » et je l'avais vaincu. Après une longue minute pendant laquelle j'ai craint d'avoir peut-être créé un monstre, F. m'a repoussée. Puis, il s'est couché sur le dos et s'est passé une main sur le visage.

J'ai sauté au bas du lit et je me suis dirigée vers un grand miroir.

Mon cul était ravagé. On pouvait voir clairement la marque de la main de F. dans le périmètre sud-est de ma fesse droite. J'ai tâté la trace rouge et compté les doigts qui y apparaissaient comme on le fait pour ceux des nouveau-nés : les cinq se démarquaient avec précision. Le bébé était normal et en pleine forme.

— Mon Dieu, F.! Tu as vu ce que tu m'as fait?

Les beaux yeux de F. s'étaient remplis de larmes.

— Sophie, pardonne-moi.

Je suis revenue dans le lit. Mon amant n'osait pas me regarder en face mais il bandait toujours, le salaud. Je l'ai enfourché.

— Ça n'a pas de sens, Sophie. Je suis désolé.

— De quoi tu parles? C'est si beau!

Mon cul s'est remis assez rapidement de notre rencontre. Trop rapidement, même. Ça n'a pas pris une heure pour que les traces de doigts disparaissent et que mes fesses redeviennent d'un blanc immaculé, comme un canevas tristounet sur lequel les chefs-d'œuvre s'effaceraient à mesure qu'on les peindrait. J'ai imaginé que F. me faisait si mal que j'en gardais des cicatrices, qu'il me giflait si fort que j'en chopais une entorse cervicale. J'aurais dû me douter que j'étais sur une pente glissante parce que l'idée de me retrouver avec un collier orthopédique à la suite d'une séance un peu intense avec F. ne m'a pas déplu. J'étais comme Thérèse de Lisieux entrant au carmel avec la volonté de devenir une grande sainte.

Cela dit, ce n'était pas vraiment la douleur qui me plaisait dans notre histoire. Je voulais surprendre F., le choquer, puis le contraindre à changer d'avis. Que sommes-nous, sinon la somme de nos croyances? Parvenir à faire en sorte que F.

renonce à ses principes pour moi me procurait un sentiment de puissance que Nietzsche n'aurait pas renié.

À chacune de nos rencontres subséquentes, F. m'a donné la fessée. Pour quelqu'un qui s'y était toujours refusé, il s'y appliquait à présent avec rigueur et assiduité. Certains jours, j'avais à peine franchi le seuil de la porte qu'il me clouait face contre le mur avant de faire pleuvoir les claques. J'en éprouvais toujours autant de plaisir mais je devais trouver des façons de l'étonner à nouveau, découvrir d'autres réticences pour ensuite les vaincre. Je me suis alors souvenue qu'une fois, F. avait failli éjaculer pendant que je le branlais, ma tête à quelques centimètres de son pénis ; mais il avait couvert son gland avec sa paume juste avant le moment fatidique. Cela m'avait un peu déçue sur le coup, mais je m'en félicitais à présent. Il ne voulait pas jouir sur mon visage ? Parfait. Ce serait mon nouveau cheval de bataille. Devant ma requête, F. a dit les mots magiques :

— Sophie, non.

À son avis, c'était dégradant pour la femme. C'était sale, pervers, indigne de moi. Il ne pourrait pas s'y résoudre. D'ailleurs, il ne l'avait jamais fait auparavant et ne croyait pas qu'il en serait capable. Un air connu, peut-être, mais dont je ne me lassais pas. J'ai dûment cajolé, menacé, supplié et, dix minutes plus tard, il se branlait au-dessus de mon visage. Étendue sur le lit, je n'osais ni bouger ni gémir trop fort, de peur qu'il change d'avis ou, pire, qu'il débande.

— Tu es certaine que c'est ce que tu veux, Sophie ?

C'était une question rhétorique puisque, avant même que je puisse répondre, quatre jets de sperme ont giclé sur mon menton, ma bouche, mon nez, mes tempes. Une dernière goutte a perlé au bout de son gland. Vite, avant qu'il ne l'essuie, je l'ai attrapée avec ma langue. Puis, en proie à une intuition soudaine, je lui ai demandé :

— Prends une photo.

— Une *quoi* ?

F. avait très bien saisi ma requête mais il espérait sans doute que son ton réprobateur me ferait reculer. Il ne me connaissait donc pas encore assez ? J'ai trempé le bout de mon index dans la coulée de sperme que je sentais refroidir sur mon menton.

— Une photo. De mon visage.

— Sophie ! Non !

Mon flair m'avait bien servie. Deux fois « non » en quelques minutes ! C'était Noël. Ne voulant pas risquer que F. me retire ce cadeau imprévu avant même que j'aie commencé à en déchirer l'emballage, j'ai insisté.

— Je veux cette photo.

— Mais Sophie... Une photo, de ton visage en plus, et dans cet état... C'est grave.

Bien sûr que c'est grave, les photos. Ça peut se retrouver en ligne, ce genre de truc. On se sent en confiance, on se permet des folies et, quelques mois plus tard, notre patron, grand consommateur comme tout le monde de porno amateur, se met à nous observer bizarrement. Des jobs se perdent, des mariages se brisent et des jeunes filles se suicident pour ça. F. avait raison, c'était grave, très grave. Son iPhone traînait sur la table de chevet. Je l'ai attrapé et le lui ai mis dans la main.

— Tu prends la photo ou je m'en vais.

Le regard de F. s'est assombri en même temps que l'écran de son téléphone s'éclairait. Il n'était pas content du tout.

— Fais-moi ton plus beau sourire.

La lèvre tremblotante, j'ai souri comme si j'étais à Ascot en train de discuter avec la duchesse de Cambridge et que le photographe de *Paris Match* me demandait de prendre la pose. Un bruit d'obturateur. Puis F. a tourné l'écran de son téléphone vers moi. Des hommes avaient déjà photographié mon cul, ma chatte et mes seins sous tous leurs angles ; aucune photo de moi ne m'avait jamais paru aussi dépravée que celle-ci, où mon sourire brillait, mondain et décalé au milieu des coulées de sperme qui dégoulinaient sur mon front, mes joues, mon menton.

Avec la paume de sa main gauche, F. a étalé son sperme sur mon visage et mon cou, terminant en s'essuyant dans mes cheveux. Avec sa main droite, il documentait le processus. Clic, clic, clic.

J'avais honte. C'était délicieux. Je lui ai fait promettre de m'envoyer tout ça par courriel.

Quand j'ai raconté ça à mon mari, il a fait une drôle de tête.

— Il a joui sur ton visage ? Tu as toujours refusé que je le fasse !

Il était sincèrement attristé. Pour le consoler, je lui ai montré les photos.

Lors d'un souper de filles bien arrosé, il s'est trouvé quelques copines pour plaindre Thomas. Mon mari était un cocu, certes consentant mais cocu tout de même. Je leur ai raconté une anecdote qui, en plus de m'éviter de répondre directement à leurs inquiétudes, est plutôt jolie. Pour notre quinzième anniversaire de mariage, Thomas et moi nous étions inscrits à une course de dix kilomètres en sentiers dans les Adirondacks. Nous n'avions jamais couru de notre vie. Le temps maximal pour faire la course était de deux heures. Nous avons complété l'épreuve en cinq heures, huit minutes et cinquante-trois secondes. Ce qui n'a pas aidé, outre le fait que nous étions lents comme des tortues, c'est que nous avons parfois quitté le sentier, attirés par le bruit d'une chute dans laquelle nous nous sommes rafraîchis ou par un petit lac sur le bord duquel nous avons dévoré les provisions qui devaient nous servir uniquement en cas d'urgence. Les quelques coureurs qui nous ont vus nous aventurer hors du chemin balisé nous ont regardés d'un drôle d'air. On ne respectait pas les paramètres de l'épreuve, semblet-il ; certains avaient peur que nous cherchions un raccourci – pure projection, selon Thomas. Quand nous nous sommes enfin pointés à l'arrivée... il n'y avait plus d'arrivée. Tout avait été rangé, les balises et les banderoles rempaquetées, les organisateurs rentrés chez eux sauf un qui nous attendait, moitié inquiet, moitié furax : « Vous n'auriez pas dû vous inscrire, il faut connaître ses limites ! » On a eu les jambes en compote pendant des jours mais on a bien rigolé. Thomas et moi, c'est ça. On s'engage dans des trucs improbables qui nous font parfois souffrir, en prenant des détours que les gens considèrent hors bornes, mais quand nous arrivons au bout du chemin, sans repères et sans fil d'arrivée, nous sommes toujours ensemble et de bonne humeur. Certes, pour cette nouvelle épreuve du « saut de la clôture », j'ai commencé la course sans en aviser Thomas ; mais il m'a rattrapée, et si, certains soirs, il rentre à la maison les jambes un peu molles, il n'en sourit que davantage.

Pour en revenir à F., je ne savais plus trop quoi faire avec lui. Pas que je ne voulais plus le voir, non. J'en crevais d'envie. En même temps, je ne voyais pas ce que je pouvais lui proposer d'autre qu'il commencerait par refuser. On est quand même au XXIe siècle. Les positions sexuelles bizarres ne sont plus vraiment considérées comme des perversions. J'ai pensé lui proposer du sexe anal. Pas sur moi, non. Trop cliché ; n'importe quelle fille de dix-sept ans s'y adonne à loisir.

Non, je voulais plutôt me procurer un godemiché afin de m'en servir pour enculer F. en le traitant de fillette, mais quand je lui en ai parlé, il ne s'y est pas opposé. Lui, ce qui le rebutait, c'était m'humilier. L'inverse ne le troublait pas du tout.

Or, après les coups et l'éjaculation faciale, qu'est-ce qui pouvait bien m'humilier convenablement ? Tout ce à quoi je pensais sans effort n'avait aucun intérêt. Me faire attacher ? Le connaissant, il me ligoterait et découvrirait ensuite que c'était la meilleure manière de me faire tendrement l'amour sans que je puisse l'en empêcher. Pas question que je prenne ce risque. Devenir son esclave ménagère ? C'était déjà trop en ordre, chez lui. J'en étais au point où j'envisageais de l'obliger à me faire subir des jeux de *waterboarding*, à simuler ma noyade comme si j'étais la seule terroriste enfermée à Guantánamo pour de *bonnes* raisons. Mais les sites de BDSM sont un peu chatouilleux sur le sujet (ils ne recommandent pas la pratique de l'activité avant d'avoir suivi le cours) et, par ailleurs, j'ai vraiment l'eau en horreur.

— Pisse-moi dessus.

C'est ce que j'ai fini par lui dire un mercredi midi. Nus dans son lit, nous mangions une pizza, question de reprendre des forces. Quelques heures plus tôt, il m'avait éjaculé partout sur le visage après m'avoir généreusement distribué quelques claques.

— Sophie...

L'idée lui a semblé tellement incongrue qu'il n'a même pas dit non. Vrai qu'il est assez difficile de dire non à quelqu'un qu'on vient de traiter comme une vieille prostituée tchétchène.

— Tu veux que je te *pisse dessus*?

Ah, voilà. Il n'avait pas encore dit non parce qu'il voulait d'abord vérifier qu'il avait bien entendu.

Je l'ai rassuré : il n'avait aucun problème d'ouïe. Je voulais bel et bien qu'il me pisse dessus. Il m'a demandé si c'était un fantasme chez moi. J'ai réfléchi et je lui ai dit la vérité : pas du tout. Je me souviens d'un garçon qui m'avait uriné dessus sous la douche. Nous avions vingt ans et des poussières, il voulait me faire une blague et je ne l'avais pas trouvée drôle du tout. Pour lui, c'était juste un jeu. Pour moi, c'était humiliant et ça m'avait dégoûtée. Nous avions rompu peu après.

Bref, alors que l'idée de me faire frapper ou éjaculer dessus m'excitait quand même de prime abord, me faire pisser dessus ne répondait à aucun de mes fantasmes. Au contraire, je trouvais ça dégueulasse. J'ai compris que ce que je voulais en était venu à n'avoir plus aucun rapport avec ce qui m'excitait. Je voulais me transformer en urinoir humain uniquement parce que je savais que F. s'y refuserait. C'était un bien mauvais moment pour penser à ma mère, mais il me semblait l'entendre me demander d'un ton réprobateur : «Et si F. se jette en bas du pont, tu vas sauter toi aussi?» Non, maman. C'est seulement si F. ne *veut absolu-*

ment pas que je saute en bas du pont que je vais m'y précipiter.

Est-ce que c'était ça, aller trop loin ? « C'est juste un jeu », me suis-je entendue murmurer à F. d'un ton rassurant, lui qui, pourtant, n'avait toujours pas dit non.

J'ai fouillé par terre dans nos vêtements épars et j'ai fini par mettre la main sur la ceinture de F. Puis, avec une dextérité décuplée par les circonstances (non, vraiment, c'est plus facile qu'il n'y paraît), je me suis moi-même ligoté les mains.

— Emmène-moi.

F. n'a pas dit non. Il n'a rien dit. Il a saisi sa ceinture, s'est levé et m'a remorquée jusque dans la salle de bains. Nous nous sommes installés en silence, moi à genoux dans la baignoire abîmée, lui debout devant moi, tous les deux dans le plus parfait silence à part ma remarque sur sa ressemblance avec Apollon, qui était totalement justifiée.

Et c'est là que nous en sommes. F. va me faire pipi dessus.

— C'est vraiment ce que tu veux ?

Je n'en sais rien. Peut-être que ce sera nul, ordinaire, ennuyeux. Peut-être que, pendant que F. m'aspergera de son mélange maison d'eau, d'urée, de créatinine et de quelques minéraux, je soupirerai en me disant que j'ai déjà vu plus d'action dans des tutoriels de tricotin sur YouTube. Peut-être qu'ensuite, F. trouvera qu'on a dépassé les bornes. Peut-être que, cette fois-ci, la honte sera trop forte. Peut-être qu'on se quittera.

Peut-être que j'aimerai trop ça... Peut-être que je voudrai *toujours* me faire pisser dessus. Peut-être que ça finira par se savoir, par se murmurer dans mon dos. Peut-être que je m'en ficherai. Peut-être que ça me détruira. Et si j'en parle à Thomas, peut-être qu'il ne voudra pas le faire. Peut-être qu'il voudra le faire. Est-ce que moi, je voudrai le faire avec lui ? Peut-être que cette fois-ci, il ne voudra pas courir avec moi. Peut-être qu'on se quittera.

Je me rends compte que, de toute ma vie sexuelle, je n'ai jamais été vraiment étonnée par quelque chose. La morale érotique ambiante m'a toujours indiqué, à un degré ou à un autre, quoi faire et à quoi m'attendre. Pas aujourd'hui. Je ne sais pas comment je vais réagir ni même comment *il faut* réagir. J'ai la tête merveilleusement vide. Et après avoir passé les derniers mois à entraîner F. d'un bord de précipice à l'autre, je trouve exaltant de m'y retrouver à mon tour. Je ne sais pas si j'ai un parachute mais je veux sauter.

Je regarde F., lui et moi plus intenses que jamais, je hoche la tête et j'attends.

Stéphane Dompierre

Esprit vengeur

Madame rêve d'atomiseurs
Et de cylindres si longs
Qu'ils sont les seuls
Qui la remplissent de bonheur
Madame rêve d'artifices
De formes oblongues
Et de totems qui la punissent

Alain Bashung, *Madame rêve*

Es-tu seule et dans un lieu discret? Chez toi, ce serait parfait. En vacances, dans un chalet ou à l'hôtel, ça va. Si tu es dans l'autobus, dans un parc ou à la plage, si les enfants ne sont pas encore couchés, je préférerais que tu attendes. Il est recommandé d'être dans des conditions optimales afin de lire cette nouvelle. Tu seras peut-être tentée de faire des choses qui ne se font pas vraiment en public. Ce serait dommage de gâcher ton plaisir et, en l'occurrence, le mien.

Merci.

Te revoilà. J'imagine que tu es assise dans un fauteuil ou sur un sofa moelleux. C'est ce qu'il faut. Installe-toi là où tu te sentiras bien. Est-ce que quelqu'un risque de te déranger? Tu peux aller fermer la porte. Juste au cas. Tamise un peu l'éclairage. Profites-en aussi pour retirer tes chaussures et tes bas. Pieds nus, tu seras beaucoup plus à l'aise. Tu peux t'allonger un peu, en calant un coussin derrière tes reins s'il le faut.

(Bon. Si tu es un homme, c'est tout simple : fais comme moi et admire le spectacle. Nous serons voyeurs.)

Tu es donc installée confortablement avec ce livre. Tu es seule, détendue, tu as envie de passer un bon moment.

Prends une grande respiration.

Il fait plus chaud que tout à l'heure, non? Ça fait ton affaire, mais il me semble que tu es encore trop vêtue. Retire quelques vêtements. Débarrasse-toi de ton soutien-gorge. Tu peux garder un haut léger et une culotte, tout le reste est encombrant et inutile. Tu es presque nue mais ça ne te rafraîchit pas ; c'est dans ton ventre que tu as chaud. Tu as remarqué comment ce petit livre de nouvelles érotiques se tient bien d'une seule main? Mais oui, tu comprends bien ce que j'insinue : ça te laisse une main libre pour faire autre chose. Peut-être te caressais-tu déjà une cuisse ou le ventre sans trop y penser. Tu as le droit. Laisse ta main remonter jusqu'à tes seins, fais tourner tes doigts autour de tes aréoles, pince tes mamelons pour les faire durcir un peu. Tes joues rosissent. J'espère que je ne te gêne pas, que tu ne vas pas te retenir parce que je suis là. Je suis un narrateur omniscient, je suis partout mais je suis discret. Ce moment est à toi, à toi seule. Fais-toi plaisir. Tu le mérites. Tes journées sont étourdissantes, elles passent trop vite, tu oublies trop souvent de te détendre. C'est facile, pourtant. Il suffit de laisser glisser ta main plus bas, sur ton ventre, jusque sur ta culotte. Tu appuies légèrement sur ton sexe, tu poses deux doigts sur tes lèvres. Rien que de les savoir là, tout près de ton clitoris, ça te suffit. Tu n'irais tout de même pas jusqu'à te masturber, non. Tu es occupée à lire. Lire aussi, ça te détend. Pas autant qu'un orgasme, mais ça te détend.

Sauf que là, le mot est lancé. Orgasme. Ce serait bon. Tu y penses. Tu t'imagines jouir. J'ai beau y réfléchir, je ne vois pas ce qui te retient. Tu te tortilles déjà depuis un moment, comme si tu étais mal à l'aise. Mais tu es bien installée, pourtant. C'est que tu as envie d'un orgasme. Rien ne t'empêche de te faire plaisir en poursuivant ta lecture. Je vais t'aider, si tu veux.

Écarte les jambes. Exhibe-toi. Ceux et celles à qui le spectacle ne plaît pas n'auront qu'à regarder ailleurs. Glisse deux doigts dans ta culotte. Sur tes lèvres. Elles s'entrouvrent ; tu es mouillée plus que tu ne l'imaginais. En quelques va-et-vient, tes lèvres s'humectent. Déjà, tu pousses un gémissement de satisfaction. C'est exactement ce dont tu avais envie et tu te demandes pourquoi tu n'y avais pas pensé toi-même, avant que je le suggère. Tu appuies ton majeur et ton annulaire de part et

d'autre de ton clitoris et tu amorces un mouvement régulier, très lent, tout léger, de gauche à
droite. Tu écartes les jambes encore un peu. De
moins en moins timide, de plus en plus concen-
trée sur ton plaisir. Voilà exactement ce qu'il te
fallait. Tu sens ma présence mais ça ne t'incom-
mode pas. Bien au contraire : ça t'excite d'obéir à
ma voix. De faire ce que j'ai envie que tu fasses. De
m'imaginer dans la pièce, dans la pénombre, à te
regarder. Je n'ai pas de visage, tu m'en donnes un.
Celui que tu veux.

Tu es très excitante quand tu te laisses aller,
quand tu ne te préoccupes pas d'être belle.

Tes mamelons durcis pointent sous ton chandail, tes pupilles se dilatent. Tu remarques que tu
as oublié de fermer les rideaux. N'importe qui
pourrait passer devant la fenêtre et te voir. Ton
premier réflexe est de te lever pour régler le problème, mais tu te ravises. La perspective de croiser
le regard surpris d'un homme, ou d'une femme, et
de faire naître sur ses lèvres un sourire empreint
de désir t'allume un brasier d'excitation dans le
bas-ventre.

Accentue la pression de tes doigts. Accélère le
mouvement.

Une jambe par-dessus l'accoudoir, tu te sens
exhibitionniste. Tu veux qu'on te prenne sur le
fait, la main dans ta culotte. Tu te sens dévergon-
dée. Ta main s'agite dans un mouvement rapide et
le son que ça produit t'émoustille encore plus.

Enfonce deux doigts dans ta chatte et branle-toi.

Tu sens une coulisse de cyprine et de salive glisser entre tes jambes, de ta chatte jusqu'à ton cul. Si tu lèves encore un peu la jambe, tu pourrais caresser ton anus avec ton auriculaire. Fais-le. Tout doucement. Ta bouche en forme de cœur et tes grands yeux ronds sont sans équivoque : tu trouves que c'est une bonne idée. D'un seul mouvement, tu couvres plusieurs zones érogènes. Quelqu'un t'observant à la fenêtre dirait que tu es une sacrée cochonne et tu lui donnerais raison. Tu ouvrirais les jambes plus grand encore et tu plongerais ton regard salace dans le sien. Tu veux qu'on te regarde te masturber, qu'il y ait un témoin qui remarque ton cul mouillé, qui t'entende haleter. Tu te donnes en spectacle, déçue qu'il n'y ait personne.

Tu veux qu'on te fourre.

Tu abandonnes le livre, tu te redresses et, sur des jambes flageolantes, tu trottines jusqu'à la chambre à coucher pour y récupérer ton vibrateur. Tu voudrais tout de suite retourner t'étendre mais, prise d'un doute, tu renifles ton gros jouet rose. Tu fais un détour par la cuisine pour le rincer.

Sauf que ton clitoris a besoin de stimulation, là, maintenant. Tu arrêtes près d'un des coins de la table. Tu t'approches. C'est une façon de faire dont tu n'as jamais parlé à personne, un secret qui t'amuse parfois, quand tu y penses et que tes amis ou ta famille sont réunis autour de cette table.

Une méthode efficace pour te caresser que tu as développée à l'adolescence. Tu t'installes en glissant le coin de la table entre tes jambes. Tu te penches vers l'avant et tu poses tes mains bien à plat. En pliant les genoux, tu soulèves les talons et tu laisses ton pubis supporter tout ton poids. Du bassin, tu fais un mouvement léger, répétitif, de l'avant vers l'arrière. C'est presque douloureux. C'est délicieux. La table grince et c'est si bon que tu perds conscience de ton environnement. Ta culotte est trempée. Peut-être que derrière toi, à la fenêtre ou à la porte qui donnent sur le balcon, un homme se masturbe en t'observant. Tu rêves de sa queue. Tu voudrais la lécher. Tu gémis, tu pourrais jouir tout de suite, les jambes tendues, avec ton bassin qui ondule de plus en plus rapidement. Tu ralentis. Tu veux sentir ton jouet rose au fond de toi. Tu t'obliges à arrêter le mouvement. Poussée par la perspective d'un orgasme fulgurant, tu te rends à l'évier sur lequel tu te penches pour rincer ton jouet sous l'eau chaude avec un peu de savon à vaisselle. À cause du bruit de l'eau qui coule, tu n'entends pas la porte qui s'ouvre. Quelqu'un entre chez toi. C'est un homme. Celui de ton choix. Celui dont tu as envie. Ce voisin à qui tu as déjà laissé ta clé pour qu'il vienne arroser les plantes en ton absence, à qui tu penses souvent quand tu te caresses, rêvant qu'il te rejoigne dans ton lit et te fasse jouir en te dévorant avec ses lèvres charnues. Je l'appellerai l'amant; appelle-le comme tu veux. C'est pour toi qu'il est là. Il entre dans la cuisine, et la première chose qu'il voit, c'est ton cul. Et puis tes jambes. Les muscles saillants de tes mollets, tes pieds pointés qui mettent en valeur la finesse de tes chevilles. Penchée au-dessus de l'évier, tu transfères ton poids d'un pied à l'autre, jambes serrées, pour continuer de stimuler ta chatte en attendant d'y insérer ton jouet. Le mouvement de roulis que ça donne à ton cul est hypnotisant. L'amant n'a plus qu'une envie : glisser sa queue entre tes fesses, sur tes lèvres roses, et te pénétrer. Mais il ne veut pas t'effrayer. Il se racle la gorge pour mieux s'annoncer. Tu le vois et tu sursautes. Tu ne l'avais pas entendu arriver. Tu laisses tomber par mégarde ton vibrateur au fond de l'évier et, confuse et maladroite, tu mets de l'eau partout. Et c'est ainsi que tu l'accueilles, à demi retournée, le cul offert et le chandail mouillé, avec un air surpris qu'il trouve complètement craquant. Pendant un moment, tu te cherches une excuse, tu voudrais lui expliquer ce que tu fais là, à moitié nue, ce n'est pas ce qu'il pense, et puis non. C'est bien ce qu'il pense. Tu ne vas pas lui mentir. Tu assumes.

Il retire ses souliers et ses bas. Son t-shirt. Avec son regard perçant plongé dans le tien, comme tu en avais rêvé. Ce regard qui semble toujours te voir nue. Sans le quitter des yeux, tu tâtonnes pour fermer l'eau. Tu n'auras pas besoin de ton vibrateur. Tu mouilles tes lèvres avec ta langue. Il ne porte plus que son jean. Il s'approche. Tu t'agenouilles sans laisser planer de doute sur ce que tu désires. Tu le caresses un moment à travers le tissu, tu palpes la bosse qui commence à se former, juste à la hauteur de tes yeux. Tu t'attaques au bouton, puis à la fermeture éclair. Tu descends le jean de l'amant en même temps que son boxer. C'est cette queue que tu voulais. Sa queue. À moitié en érection, elle n'est plus qu'à quelques centimètres de ton visage.

Lèche-la.

Tu t'avances et, avec la langue, tu suis le parcours d'une veine tout le long de sa queue. Tu lui caresses les couilles. De ta main libre, tu lui envoies une solide claque au cul. Ça le surprend, il ouvre de grands yeux ronds. Tu le frappes de nouveau, plus fort. Il aime ça. Tu poses tes lèvres sur son gland et tu avances la tête, tu fais lentement entrer sa queue dans ta bouche en serrant très fort. Si tu en étais capable, tu te la mettrais au fond de la gorge. Sa belle grosse queue bien droite prend de la vigueur, tu la sens durcir sur ta langue. Tu t'empares de ses fesses à deux mains et tu dictes le mouvement, tu veux qu'il te baise la bouche sans ménagement. Il suit la cadence avec une joie non feinte. Ton chandail mouillé te colle au corps et te gêne dans tes mouvements. L'amant se penche et t'aide à le retirer, il en fait une boule et le jette derrière lui. Tu caresses tes seins pour que tes mamelons se dressent et tu reviens vite à sa queue. Tu la branles d'une main ferme et, sous le coup de l'inspiration, tu craches sur son gland.

Tu as vu ça dans un film porno, tu avais d'abord trouvé ça vulgaire, ça t'avait choquée, mais tu y as repensé souvent. Pour te rendre compte que ça t'excitait. Que tu rêvais de le faire à quelqu'un pour voir comment on se sent. Tu te sens chaude et prête à tout. Tu te sens bien. Tu veux donner du plaisir et en recevoir. L'amant se penche pour te prendre par la main et t'aider à te relever. Il t'enlace et pose ses lèvres sur les tiennes. Vos langues se touchent, vos souffles se mélangent, sa barbe rugueuse te pique. Il goûte la menthe poivrée. Cette bouche-là, tu la veux entre tes jambes. Comme s'il l'avait deviné, il t'invite à grimper sur la table. Avec son aide, tu te mets à quatre pattes, et lui, derrière toi, s'assoit sur une chaise. Il a son visage à la hauteur de ta chatte. Il caresse tes cuisses, remonte à tes hanches et s'empare de ta culotte. Il la fait glisser et te la retire. Cul offert, tu te sens vulnérable et désirée. Il dépose des baisers sur ta chatte en faisant de la succion, comme s'il voulait t'aspirer. Ce n'est pas la position la plus confortable pour les genoux, mais ce qui se passe derrière te fait vite oublier cet inconvénient. Il te caresse les jambes en te léchant tout ce que tu lui offres. Il appuie sa langue sur ton petit trou. Il peut y sentir ton sang qui pulse. Ton cœur qui bat. Tu cambres le dos pour mieux faire ressortir ton cul. Il darde sa langue dans ta chatte, mais ça ne suffit plus : tu veux sa queue en toi. Tu te retournes et tu t'assois au bord de la table. En te prenant par une cuisse, il te pénètre sans rencontrer de résistance ;

tu es déjà plus que lubrifiée. Tu t'agrippes à ses fesses alors qu'il te baise à grands coups de bassin. Il pince tes mamelons durcis. Sa langue suit le contour de ton oreille, elle descend le long de ton cou jusqu'à tes seins puis remonte jusqu'à tes lèvres. Il t'embrasse de nouveau. Vous êtes unis par la bouche et par le sexe. Tu plantes tes ongles dans son dos et vos corps mouillés de sueur ne font plus qu'un. La table ne tiendra peut-être pas le coup. Tu mordilles ses lèvres, tu les suces, tu tortilles ta langue autour de la sienne comme si c'était une queue. Tu voudrais que ça en soit une. Tu veux une deuxième queue.

Un deuxième homme.

Pour ton plaisir et pour le mien, je décide de te venir en aide. Je passe de spectateur à acteur. J'arrive dans la pièce et personne ne s'étonne. Tu me connais déjà ; j'ai le visage que tu m'as inventé, le corps comme bon te semble. Je suis beau.

Nous passons à la chambre et je me déshabille en chemin.

Tu t'installes à quatre pattes sur le grand matelas. Ton amant s'agenouille derrière toi, s'accroche à tes hanches et te pénètre d'un coup. Debout devant le lit, je me masturbe pour toi en te regardant droit dans les yeux. Tu m'observes un moment, mais ce n'est pas un spectacle que tu veux ; tu n'en es plus là. Tu veux des sensations. Agitée par les secousses de l'amant qui te baise en faisant claquer ses cuisses sur tes fesses, tu sues, tu gémis, tu n'es plus que sexe. Il n'existe plus rien d'autre que toi, tes sens exacerbés et ces deux hommes à ton service. Tu me demandes de fourrer ma queue dans ta bouche et je m'approche sans plus attendre. Je m'agenouille sur le lit et, empoignant tes cheveux, je te regarde me lécher et m'avaler. Ton amant, derrière, a une vue splendide sur ton dos courbé, tes épaules, tes fesses. Ton cul le fascine. Avec son pouce, il y imprime un mouvement circulaire très lent, sans te pénétrer. Ce qu'il aimerait, c'est t'enculer à fond, mais il se retient, il n'est pas certain de tes goûts en la matière et il préfère t'éviter une désagréable surprise. Mais à ce moment, ivre de sexe, tu veux tout. Tu veux du sperme sur les lèvres, une queue dans l'anus, des claques aux fesses, tu veux jouir. Et c'est ce que tu fais. La main bien à plat, tu donnes des claques sur ton clitoris gorgé de sang, deux à la fois en une succession rapide, claclac, claclac, claclac, toi seule connais la vitesse, la force et le rythme exacts qu'il te faut pour atteindre l'orgasme. Tu recules pour retirer ma queue de ta bouche, tu as peur de la mordre en gémissant. Tu jouis en haletant, la bouche entrouverte, en poussant des cris qui t'étonnent toi-même, des larmes te viennent aux yeux, ton corps est secoué de spasmes. D'une main, tu t'accroches à mes fesses et tu t'abandonnes, tu t'absorbes tout entière dans ta jouissance. Ton orgasme contracte chaque muscle de ton vagin. Tu donnes un fameux spectacle quand tu jouis. C'est si excitant que ton amant se laisse aller et éjacule. Tu sens sa queue qui pulse sur tes parois internes à chaque giclée.

Les joues rouges, tu t'étends sur le dos pour reprendre ton souffle. L'amant te rejoint. Vos langues s'entremêlent un instant, puis tu poses ta tête sur le lit. J'ai envie de jouir dans ta bouche gourmande, de répandre mon sperme sur tes lèvres et de l'observer couler sur ton menton. Tu regardes dans le vide, souriante et comblée. Ta courte toison est luisante des fluides abondants qui s'y trouvent : salive, cyprine, sperme. Ton ventre mouillé monte et descend au rythme de ta respiration. Je suis toujours là, à genoux sur le lit, avec mon érection de plus en plus encombrante. Tu ne me prêtes aucune attention. Tu as eu ce que tu désirais. Je n'existe plus. Je me masturbe un peu pour rappeler ma présence. Tu sembles fatiguée. Une main posée sur le bas-ventre de ton amant, tout près de sa queue qui débande, tu places un oreiller sous ta tête, tu t'installes pour faire un somme. Je ne sais plus trop quoi faire. Au moment où je m'approche pour te signifier mon envie en tapotant ma queue sur une de tes joues, je croise ton regard. Je lis tes pensées comme si tu me parlais : « Bon ben, tu voulais me faire jouir, c'est fait. Je crois que tu peux y aller, là. » L'amant me regarde aussi : « Tu serais gentil de pas m'approcher avec ta queue, merci. » Vous fermez les yeux en même temps.

Tu m'oublies là.

Je vais devoir finir le boulot en solitaire. Dans la pièce, il règne un silence tout à fait propice à la détente. Je me lève sans faire de bruit. Je me caresse un peu pour jauger l'état de mon pénis : il est encore sensible aux stimulations, mais il pointe vers le sol. Il abdique.

Tu t'endors, bercée par le rythme léger de la respiration de ton amant. Je me sens de trop, je n'ai plus rien à faire ici, alors je quitte la pièce.

À ton réveil, tu es seule. Dans ce fauteuil que tu n'as jamais quitté. Le tissu est humide sous tes fesses. Tu émerges lentement du brouillard, tu te remémores cet orgasme que tu t'es procuré seule, avec les doigts, en lisant. Le recueil de nouvelles est abandonné par terre. Ce qui te frappe, c'est que tu ne reconnais pas le plancher. Où il y avait du bois franc très pâle avant que tu t'endormes, il y a maintenant ce qui ressemble à du béton, gris, froid. L'air est glacial. Tu plisses les yeux pour mieux voir, parce que la lumière autour de toi se dissipe, comme si la nuit tombait trop vite. Avant que les ténèbres ne t'enveloppent, tu as tout juste le temps de jeter un regard autour de toi : il n'y a ni mur ni fenêtres, rien d'autre que ce plancher qui semble s'étendre à l'infini dans toutes les directions. Tu te recroquevilles dans le fauteuil, la seule chose qui te relie encore au monde des vivants. Tu voudrais ramasser le recueil et l'ouvrir, retrouver la nouvelle que tu lisais pour tenter de comprendre, mais tu es effrayée à l'idée de toucher ce sol inconnu avec tes doigts. Et de toute façon tu ne pourrais plus lire, tu es maintenant dans l'obscurité totale. Tu attends un moment avant de hurler, tu te dis que lorsque tu te seras habituée à la noirceur, tu verras bien une lumière au loin, une issue de secours vers laquelle courir, mais il n'y a rien. Alors tu ouvres la bouche pour appeler à l'aide, pour crier à pleins poumons, mais rien ne sort.

Je t'ai oubliée là.

Remerciements du directeur littéraire

La réussite d'un collectif réunissant seize auteurs tient à deux choses : un échange frénétique de courriels et quelques miracles.

Merci à Mélikah, Caroline, Ryad, Sarah-Maude, Stéphanie, Simon, Mylène, Michel-Olivier, Mathieu, Geneviève, Isabelle, Sara, Dany, Maxime Olivier et Alexandre pour la confiance, la rapidité, la patience et le travail.

Merci à Myriam, coéditrice du recueil, pour sa générosité, son entrain et sa bonne humeur.

Merci à Véronique Fontaine et Caroline Allard pour les commentaires sur mon texte.

Merci à Caroline Fortin, Martine Podesto et à toute l'équipe de Québec Amérique. C'est toujours un plaisir de faire des projets fous avec vous.

Un merci tout spécial à Joëlle Landry, juste pour la faire rougir un petit peu. (J'espère que la flèche de ton calm-o-mètre est sur le petit soleil.)

Les auteurs

Mélikah Abdelmoumen

Mélikah Abdelmoumen a grandi à Montréal et vit en France depuis 2005. Elle tient le blogue *Histoires de Roms*, relatant son engagement auprès de membres de cette communauté stigmatisée. Elle est l'auteure de plusieurs romans dont *Les Désastrées* (VLB éditeur, 2013) et *Adèle et Lee* (un «nanonoir», Émoticourt, 2013), d'un essai (*L'École des lectrices*, Presses universitaires de Lyon, 2012) et de plusieurs articles et textes courts. Pendant tout ce temps, sous la façade sérieuse et sage, elle développait une relation privilégiée et torride avec Marilyn Manson. C'est ce qui a donné lieu à la nouvelle érotique qui se trouve dans ce recueil. Récit rigoureusement exact ? Pur fantasme ? Celui qui passerait trop de temps à se demander si l'auteure n'est qu'une affabulatrice forcenée qui prend ses rêves pour des réalités oublierait que la littérature est peuplée de descendants d'Épiménide le Crétois, dont on peut conclure, lorsqu'ils disent «Je mens», que si c'est vrai, c'est faux et si c'est faux, c'est vrai.

Caroline Allard

D'habitude, Caroline Allard écrit des affaires drôles. Elle commence en 2007, en publiant un recueil de textes intitulé *Les Chroniques d'une mère indigne* (Hamac), et poursuit dans la veine humoristique avec un livre illustré (*Pour en finir avec le sexe*, Hamac, 2011), un roman (*Universel Coiffure*, Coups de tête, 2012), quelques BD (*Les Chroniques d'une fille indigne*, Hamac, 2013 et 2015) et un album jeunesse (*La reine Et-Que-Ça-Saute*, Fonfon, 2014). Pour son texte érotique dans *Travaux manuels*, elle a décidé de prendre son mandat plus au sérieux et ne se permettra donc qu'une seule blague de mauvais goût, cachée dans sa biographie. La voici : « Sa couleur préférée est le jaune. »

Ryad Assani-Razaki

Pour Ryad Assani-Razaki, la vocation de conteur d'histoire s'est imposée très tôt. Tout a commencé dans sa ville natale de Cotonou dans la République du Bénin. Le jeune futur auteur n'était alors âgé que de quatre ans lorsque l'enseignante de la maternelle, Mme Catherine, demanda aux enfants d'inventer et de dessiner une histoire. Alors, submergé par une vague d'inspiration subite, Ryad Assani-Razaki dessina *L'histoire d'un zizi*. Les dés étaient jetés, un auteur était né. Depuis, Ryad Assani-Razaki a suivi sa passion et, même s'il n'a hélas jamais réussi à totalement recréer ce premier éclat littéraire, il n'a jamais cessé d'écrire. Son ouvrage *La main d'Iman* (L'Hexagone) lui a valu le prix Robert-Cliche du meilleur premier roman d'un auteur Québécois.

Sarah-Maude Beauchesne

Sarah-Maude a étudié (pas longtemps) en création littéraire à l'UQAM.

Elle se pense fraîche depuis qu'elle a créé son blogue de littérature soft-sexu (expression de son cru qui la rend très fière) *Les Fourchettes* en 2010 à la suite d'une idylle anodine avec un gratteux de guitare. En octobre 2014, elle devient plus crédible en publiant *Cœur de slush*, son premier roman pour adolescents, aux Éditions Hurtubise. Sa suite, *Lèche-vitrines*, est parue en février 2016. Elle travaille présentement à l'écriture de deux longs métrages et à la scénarisation d'une série télé jeunesse, en plus de ses fonctions de rédactrice dans une agence de pub branchée. Elle aime les gars qui ne font pas de fautes, les filles avec des *freckles*, le vin rouge sur le fruit, le film *Mean Girls*, les chiens qui ont l'air vieux, frencher, parler dans le dos des gens qui le méritent et jouer à *Fuck, marry, kill*.

Stéphanie Boulay

On l'appelle «la moitié blonde des sœurs Boulay», mais elle est aussi une personne entière. Sa carrière a débuté à dix ans dans un C. B. de pickup à chanter *My Heart Will Go On* pour des truckers qui voulaient pas l'entendre. Sinon, elle écrivait pour personne des histoires de *mermaids* en se faisant brailler elle-même. Elle travaille présentement sur un premier roman à paraître chez Québec Amérique qui sera, elle l'espère, pour quelqu'un d'autre qu'elle-même, et tente encore d'apprendre à avoir le dessus sur son utérus en lisant des livres tels que *Conversations avec Dieu* ou *Les clés du lâcher prise* et le *ELLE Québec*.

Simon Boulerice

Né en 1982, Simon Boulerice a passé l'entièreté de sa vie de mineur à Saint-Rémi de Napierville. Lors de sa première visite à Montréal avec des amis, à 17 ans, il a tenté de s'acheter un *Playgirl*, mais le caissier a douté de sa majorité. Simon est reparti bredouille, obligé de laisser jaillir son imagination pour ses fulgurantes périodes d'onanisme à l'ère pré-Internet. Il croit qu'il écrira toute sa vie sur cette humiliation. Mais avec le recul, il est heureux d'avoir déployé très tôt son imaginaire. C'est peut-être ce refus qui lui fait écrire des tonnes de livres (*Les Jérémiades*, *Javotte*, *Martine à la plage*, *Le premier qui rira*, etc.), mâtinés de désirs comprimés? Simon fait aussi du théâtre pour l'enfance et la jeunesse. Depuis plusieurs années, il parcourt la France et le Québec avec deux solos primés : *Les mains dans la gravelle* et *Simon a toujours aimé danser*. Quand il n'écrit pas et ne joue pas, le soir, il danse en caleçon dans sa salle à manger devant sa porte vitrée, sans se douter qu'on le voit très très bien de l'extérieur.

Stéphane Dompierre

Tu voulais en savoir plus sur Stéphane Dompierre. Tu as cherché son nom dans Google. Écrivain, scénariste, chroniqueur, éditeur, directeur littéraire, script-éditeur, parrain, juré, invité d'honneur, *Un petit pas pour l'homme*, *Mal élevé*, *Tromper Martine*, *Stigmates et BBQ*, *Corax*, *Morlante*, *Fâché Noir*, *Jeunauteur 1 : Souffrir pour écrire*, *Jeunauteur 2 : Gloire et crachats*, beaucoup de best-sellers, grand prix de la relève Archambault 2005, *ELLE Québec*, des films jamais financés, des séries télé refusées, une série Web que personne n'a vue, trois étoiles et demie, quatre étoiles, « drôle », « sulfureux », « vulgaire », face trop photoshoppée, face pas assez photoshoppée, lui avec une petite guitare rose, lui devant un micro, lui avec des vêtements prêtés pour une scéance photo, un petit chien dans les bras. Ça te donne envie de regarder des vidéos de chiens et de chats. C'est ce que tu fais.

Mylène Fortin

On sait que la vie trépidante de Mylène Fortin regorge d'expériences abracadabrantes et franchement cochonnes. On évitera d'en parler. Disons simplement que Mylène est née quarante semaines et quelques jours après que ses parents se furent aimés quelque part en avril 1979. Cette femme au cœur large et accueillant comme un matelas King top qualité enseigne le français et la création littéraire à Matane d'où elle est originaire. Son premier roman, *Philippe H. ou La Malencontre*, nous propulse dans la tête d'une étudiante en psychologie aux prises avec un désir viscéral et follement anxiogène pour l'Homme avec un grand H. Mylène caresse tantôt doucement tantôt sauvagement les touches de son clavier afin de donner naissance à son deuxième roman ainsi qu'à un étonnant *Guide d'Improvisations littéraires*.

Michel-Olivier Gasse

Il a reçu son permis à seize ans et perdu sa virginité à dix-huit, mais ces deux années de plus ne font pas de Gasse un meilleur chauffeur pour autant. Il joue de la musique et, par un consensus généralisé, il est toujours le dernier du band à qui on propose le volant, peu importe le band. Cela dit, le vent a tourné depuis qu'il forme avec sa tendre épouse le duo Saratoga, au sein duquel il chante, joue la contrebasse, et tient la roue les trois-quarts du temps. Ce qui se passe à l'intérieur de cette voiture ne vous regarde absolument pas.

Il est aussi l'auteur de deux livres aux Éditions Tête première, *Du cœur à l'établi* et *De Rose à Rosa*. Il n'habite plus Montréal.

Mathieu Handfield

Mathieu Handfield découvre la masturbation un peu par hasard à la suite d'une troublante (mais essentielle) discussion de cour d'école avec des camarades lubriques. Sa première fantaisie érotique implique Sandra Bullock et l'inspire pendant plusieurs années avant de disparaître, croit-il, pour toujours. Une vingtaine d'années plus tard, il redécouvre avec surprise son fantasme originel lors du visionnement de *Gravity*. Ébloui par le fait que Bullock n'ait rien perdu de son charisme sexuel, il se masturbe encore à ce jour en se jouant en imagination des images troubles alternant entre un autobus et un vaisseau spatial, tous deux en péril. Ah et aussi, Mathieu a écrit et publié des romans (*Vers l'est*, *Ceci n'est pas une histoire de dragons*, *Igor Grabonstine et le Shining*), des nouvelles publiées dans diverses revues, une pièce (*Le voleur de membres*) et il a joué des personnages à la télé, mais rien de tout ça n'a d'importance, enfin, rien n'a autant d'importance que Sandra, dont les mésaventures spatiales ont inspiré à Mathieu la présente nouvelle.

Geneviève Jannelle

Il y a toujours beaucoup de sexe dans les romans de Geneviève Jannelle. Lors de son premier salon du livre, un lecteur masculin louche est venu lui chuchoter en transpirant qu'il avait vraiment BEAUCOUP aimé *La Juche*, son premier roman. Sa plume est demeurée tout aussi libidineuse et grinçante dans *Odorama* et *Pleine de toi*, ses romans suivants, ainsi que dans *Péril en ta demeure*, une histoire de triangle amoureux particulièrement tordu pour laquelle elle s'est mérité, en 2012, le Prix de la nouvelle Radio-Canada. Plus récemment, elle a codirigé le recueil collectif d'histoires vraies *Comme la fois* où elle aborde la perte de sa virginité dans un village tellement petit que c'est pas mal tout ce que tu peux y perdre. Geneviève avait participé au recueil érotique *Nu* et est très fière qu'on l'ait réinvitée pour *Travaux manuels*. Se faire rappeler après un épisode de sexe, c'est toujours flatteur.

Isabelle Laflèche

Isabelle Laflèche est l'auteure des romans *J'adore New York* et *J'adore Paris* ainsi que du *Carnet d'une romancière à Paris*. Son prochain roman, *J'adore Rome*, paraîtra au printemps 2016. Passionnée par le milieu de la mode et de la beauté, ses outils de séduction sont les parfums L'Extase de Nina Ricci et Jeux de Peau de Serge Lutens. Elle a aussi un faible pour les dessous affriolants de chez Agent Provocateur et Kiki de Montparnasse. Amoureuse de la Ville lumière, Isabelle n'a jamais couché à l'Hôtel Vice Versa, mais rêve d'y passer une nuit coquine sous la couette en satin de la chambre au thème de la luxure.

Sara Lazzaroni

Quand Stéphane Dompierre a proposé à Sara Lazzaroni de participer à ce recueil de nouvelles érotiques, son premier réflexe a été de chercher la définition exacte du mot « érotisme » dans son dictionnaire. Après un long silence, Sara a finalement décidé de tenter sa chance sur ce terrain glissant. Ses deux premiers romans, *Patchouli* et *Veiller la braise*, relèvent si peu d'allusions sexuelles

qu'il serait ridicule d'en parler. Voici donc sa première tentative.

Dany Leclair

Dany Leclair est originaire du Saguenay mais
enseigne les plaisirs de la littérature au cégep
de Saint-Jean-sur-Richelieu depuis une dizaine
d'années. Jeune adolescent, il a emprunté vraiment, mais vraiment par hasard, son premier
recueil de poésie québécoise à la bibliothèque de
La Baie, *Les rockeurs sanctifiés* de Lucien Francœur.
Attiré par les mots de ce livre et par ses illustra-
tions cochonnes, il a ainsi découvert que la littérature pouvait être différente, jouissive. Cette passion
l'a poussé à publier quelques nouvelles dans des
revues et ses deux premiers romans : *Le sang des
colombes* (VLB, 2007) et *Le Saint-Christophe* (Québec
Amérique, 2012).

Récemment, il a retrouvé dans une librairie
usagée une copie de son livre fétiche. Dans le
calme de sa banlieue tranquille de la Rive-Sud
de Montréal, il le relit parfois, en écoutant du
Lee Aaron ou du Samantha Fox. Et chaque fois, ça
lui donne le goût.

Maxime Olivier Moutier

Maxime Olivier Moutier entre sur le marché du
travail en 1985 comme mascotte dans un centre
commercial. De plongeur dans les cuisines d'un
restaurant d'hôtel, au rayon des produits en vrac
de chez Super Carnaval, il deviendra commis

vendeur pour la chaîne de garages Monsieur Muffler dès 1987. La fin de semaine, il rédige des bulletins de circulation pour la radio de CFGL 105,7. C'est en 1994 qu'il amorce sa carrière d'intervenant psychosocial dans un foyer de groupe hébergeant une clientèle dite lourde. En 2001, il occupe un poste d'agent de relations humaines dans un centre de crise. Il ouvre son cabinet privé la même année, où il reçoit des gens à titre de psychanalyste, tout en travaillant durant deux ans en périnatalité. Quatorze ans plus tard, à la suite d'une restructuration complète de sa manière de voir le monde, Maxime Olivier Moutier entreprend une formation pour devenir Coach de vie – spécialiste en psychanalyse. Dieu sait où cette option le propulsera. En 2025, il sera chauffeur d'autobus pour la STM. Il aura une belle chemise bleue et traînera toujours un thermos avec lui.

Alexandre Soublière
Alexandre Soublière est l'auteur des romans *Charlotte before Christ* et *Amanita virosa* (Boréal). Même si l'écriture ne lui apporte ni gloire, ni bonheur, ni safari grandiose, il se console au moins en se disant que ça lui permet de répondre à sa blonde de manière rusée, lorsqu'elle lui lance : « *Eille t'es bon en osti, hen, pour inventer des histoires* », par « *Eee... ouais, c'est ça ma job* ». Après son premier roman, on l'a accusé d'avoir trompé sa langue avec une autre. On le décrit comme un voleur-tricheur, mais Soublière s'en

moque et se trempe encore dans plusieurs langues. Selon lui, un prof de français du secondaire est à blâmer. Cet enseignant, avant un examen et le plus sérieusement du monde, avait lancé à la classe : « *OK ! Pas le droit de tricher !* » Ça donnait le goût.

Table des matières

MARQUIS

Québec, Canada

RECYCLÉ
Papier fait à partir
de matériaux recyclés
FSC® C103567

Imprimé sur du papier Enviro 100% postconsommation
traité sans chlore, accrédité ÉcoLogo et fait à partir de biogaz.